50 große Romane des 20. Jahrhunderts | Paul Auster – Stadt aus Glas • Jurek Becker – Bronsteins Kinder • **Thomas Bernhard** – Der Untergeher • Italo Calvino – Wenn ein Reisender in einer Winternacht • **Elias** Canetti ... n • **Bruce Chatwin** – Traumpfade • **Joseph Conrad** ... Cortázar – Der Verfolger • **Marguerite Duras** – Der Liebhaber • **Friedrich Dürrenmatt** – Der Richter und sein Henker • **Umberto Eco** – Der Name der Rose • **William Faulkner** – Die Freistatt • **F. Scott Fitzgerald** – Der große Gatsby • **Edward M. Forster** – Wiedersehen in Howards End • **Max Frisch** – Mein Name sei Gantenbein • **Günter Grass** – Katz und Maus • **Julien Green** – Leviathan • **Graham Greene** – Der dritte Mann • **Peter Handke** – Die Angst des Tormanns beim Elfmeter • **Hermann Hesse** – Unterm Rad • **Patricia Highsmith** – Der talentierte Mr. Ripley • **Peter Høeg** – Fräulein Smillas Gespür für Schnee • **John Irving** – Das Hotel New Hampshire • **Uwe Johnson** – Mutmaßungen über Jakob • **James Joyce** – Ein Porträt des Künstlers als junger Mann • **Franz Kafka** – Amerika • **Eduard von Keyserling** – Wellen • **Wolfgang Koeppen** – Das Treibhaus • **Milan Kundera** – Die unerträgliche Leichtigkeit des Seins • **Siegfried Lenz** – Deutschstunde • **Primo Levi** – Das periodische System • **W. Somerset Maugham** – Der Magier • **Carson McCullers** – Das Herz ist ein einsamer Jäger • **Ian McEwan** – Der Zementgarten • **Harry Mulisch** – Das Attentat • **Cees Nooteboom** – Allerseelen • **Michael Ondaatje** – Der englische Patient • **Juan Carlos Onetti** – Das kurze Leben • **Marcel Proust** – Eine Liebe Swanns • **Rainer Maria Rilke** – Die Aufzeichnungen des Malte Laurids Brigge • **Arthur Schnitzler** – Traumnovelle • **Jorge Semprún** – Was für ein schöner Sonntag! • **Georges Simenon** – Der Mann, der den Zügen nachsah • **Claude Simon** – Die Akazie • **John Steinbeck** – Tortilla Flat • **Botho Strauß** – Paare, Passanten • **Andrzej Szczypiorski** – Die schöne Frau Seidenman • **Martin Walser** – Ehen in Philippsburg • **Oscar Wilde** – Das Bildnis des Dorian Gray • **Marguerite Yourcenar** – Der Fangschuß **| Ausgewählt von der Feuilletonredaktion der Süddeutschen Zeitung | 2004 – 2005**

Süddeutsche Zeitung | Bibliothek
Lese. Freude. Sammeln.

Marguerite Yourcenar

Der Fangschuß

Marguerite Yourcenar

Der Fangschuß

*Aus dem Französischen
von Richard Moering*

SüddeutscheZeitung | Bibliothek

Bibliografische Information Der Deutschen Bibliothek
Die Deutsche Bibliothek verzeichnet diese Publikation in der
Deutschen Nationalbibliografie;
detaillierte bibliografische Daten sind im Internet über
http.//dnb.ddb.de abrufbar.

Der vorliegenden Ausgabe liegt die Textfassung der 1986 im
Carl Hanser Verlag erschienenen deutschsprachigen Erstausgabe
zugrunde.

Lizenzausgabe der Süddeutsche Zeitung GmbH, München
für die Süddeutsche Zeitung | Bibliothek 2004
© Carl Hanser Verlag München Wien 1986
Titel der Originalausgabe „Le coup de grâce"
© Editions Gallimard, 1939
Umschlag: Szene aus der gleichnamigen Verfilmung
mit Matthias Habich und Margarethe von Trotta
Titelfoto: Filmverlag der Autoren/Cinetext
Autorenfoto: Lutfi Özkök
Umschlaggestaltung und Layout: Eberhard Wolf
Klappentexte: Ralf Hertel
Satz: vmi, M. Zech
Druck und Bindearbeiten: Ebner & Spiegel, Ulm
Printed in Germany
ISBN 3-937793-11-9

Es war fünf Uhr früh. Es regnete. Erich von Lhomond, der vor Saragossa verwundet und dann auf einem italienischen Lazarettschiff behandelt worden war, wartete am Bahnhofsbüfett von Pisa auf den Zug nach Deutschland. Trotz seiner vierzig Jahre war er von einer entschiedenen, in ihrer harten Jugendlichkeit gleichsam versteinerten Schönheit. Französischen Ahnen, einer baltischen Mutter und einem preußischen Vater verdankte er seine hellblauen Augen, seine hohe Gestalt, sein anmaßendes sparsames Lächeln und jenes Hackenschlagen, das ihm jedoch durch seinen gebrochenen bandagierten Fuß einstweilen unmöglich gemacht wurde. Es war die Dämmerstunde, in der schöne Seelen zu Bekenntnissen und Verbrecher zu Geständnissen neigen und in der selbst schweigsame Menschen gern Geschichten erzählen oder Erinnerungen auskramen, um nicht einzuschlafen. Erich von Lhomond, der stets hartnäckig auf der rechten Seite der Barrikade geblieben war, gehörte zu jener Art Männern, die 1914 zu jung waren, als daß sie die Gefahr anders als nur oberflächlich kennengelernt hätten, und die sich dann in den europäischen Wirren der Nachkriegszeit aus innerer Rastlosigkeit und aus dem doppelten Unvermögen, zu genießen oder zu verzichten, in Glücksritter verwandelt hatten, jederzeit bereit, irgendeiner halbverlorenen oder halbgewonnenen Sache ihre Dienste anzubieten. Er hatte sich an den verschiedenen Bewegungen beteiligt, die schließlich in Mitteleuropa Hitler an die Macht brachten. Man hatte ihn im Gran Chaco und in der Mandschurei gesehen; und ehe er in Francos Dienste trat, hatte er ein Freiwilligenkorps kommandiert, das in Kurland gegen die Bolschewiken gekämpft hatte. Sein verletzter und wie ein Wickelkind bandagierter Fuß lag schief auf einem Stuhl. Während er sich unterhielt, spielte er zerstreut mit seiner altmodischen goldenen Armbanduhr, die so übertrieben groß und geschmacklos war, daß man den Mut, sie am Handgelenk zu tragen, beinahe bewundern mußte. Er hatte den Tick, von Zeit zu Zeit mit der flachen rechten Hand, an der er einen schweren Siegelring trug, auf den Tisch zu schlagen. Dann klirrten jedesmal die Gläser, seine beiden Kameraden fuhren zusammen, und der pausbäckige, kraushaarige italienische Kellner hinter dem Büfett fuhr aus dem Schlaf. Er mußte mehrmals seine Erzählung unterbrechen, um mit schneidender Stimme einen einäugigen Droschkenkutscher anzufahren, der alle Viertelstunden, triefend wie eine Dachrinne, hereinkam, um ihn zu einer nächtlichen Fahrt nach dem »schiefen Turm« aufzufordern. Einer seiner Zuhörer benutzte diese Störung, um einen neuen »schwarzen Kaffee« zu bestellen. Man hörte ein Zigarettenetui klappen und sah, wie der Deutsche, der plötzlich ganz müde und erschöpft zu sein schien, seine endlose und eigentlich nur ihm selber geltende Beichte unterbrach und sich mit hochgezogenen Schultern über sein Feuerzeug beugte.

»Die Toten«, heißt es in einer deutschen Ballade, »reiten schnell« – die Lebenden tun's manchmal auch. Nach fünfzehn Jahren erinnere ich mich nur dunkel an die wirren Episoden jenes Bürgerkrieges gegen die Bolschewiken, den wir in Livland und Kurland führten und der wie eine tückische Krankheit oder ein halb erloschenes Feuer fortwährend wieder aufflammte. Jede Gegend hat übrigens ihren eigenen Krieg, der, wie ihr Roggen und ihre Kartoffeln, ein Produkt des Landes ist. Ich habe die zehn ereignisreichsten Jahre meines Lebens dortselbst mit Kommandieren zugebracht, in jenem verlorenen Winkel, dessen russische, lettische oder deutsche Ortsnamen keinem europäischen oder sonstigen Zeitungsleser irgend etwas sagen. Birkenwälder, Seen, Rübenfelder, kleine unsaubere Städtchen, verwanzte Dörfer, wo unsere Leute manchmal ein Schwein zum Abstechen fanden; alte Herrenhäuser, die drinnen geplündert und draußen zerkratzt waren von Kugeln, die den Besitzer und seine Familie getötet hatten; jüdische Wucherer, die von der Gier nach Geld und von der Angst vor den Bajonetten hin und her gerissen wurden; Armeen, die sich auflösten in Abenteurerbanden, von denen jede mehr Offiziere als Soldaten besaß neben der üblichen Anzahl von Narren, Propheten, Spielern, anständigen Leuten, braven Burschen, Trotteln und Trinkern. Was die allgemein übliche Grausamkeit betraf, so hatten die roten Henker, lauter höchsterprobte Letten, eine Kunst des Folterns ausgebildet, die der großen mongolischen Tradition entschieden Ehre machte. Die sogenannte »Marter der chinesischen Hand« war ausschließlich für Offiziere reserviert wegen ihrer weißen Handschuhe, die übrigens bei dem Zustand von Elend und Erniedrigung, in dem wir alle lebten, längst legendär geworden waren. Damit man einen Begriff von der raffinierten Erfindungsgabe menschlicher Bosheit bekommt, will ich nur soviel sagen, daß dem Patienten die abgezogene Haut seiner eigenen Hand um die Ohren geschlagen wurde. Ich könnte noch andere, schrecklichere Einzelheiten berichten; aber das sind Dinge für Sadisten und neugierige Gaffer. Die schlimmsten Beispiele von Brutalität haben meist nur die Wirkung, den Zuhörer noch etwas mehr zu verhärten; und da das menschliche Herz sowieso schon die Weichheit eines Steines besitzt, so halte ich es für überflüssig, mich in dieser Richtung noch weiter zu bemühen. Unsere eigenen Leute waren sicherlich nicht weniger erfinderisch, während ich selber mich in den meisten Fällen mit einem einfachen Todesurteil zu begnügen pflegte. Grausamkeit ist ein Luxus für Müßiggänger, wie Rauschgifte und seidene Hemden. Auch in der Liebe bin ich, nebenbei bemerkt, fürs klassisch Einfache.

Außerdem ist ein Abenteurer (und das bin ich geworden), trotz aller Gefahren, denen er sich freiwillig aussetzt, oft durchaus unfähig, von Grund aus zu hassen. Vielleicht verallgemeinere ich ein ganz persönliches Versagen; jedenfalls bin ich von allen Menschen, die ich kenne, am wenigsten imstande, die Gefühle der Rachsucht oder der Liebe, die meine Mitmenschen möglicherweise in mir erwecken, mit ideologischen Reizen auszustatten. Auch habe ich mein Leben immer nur für Dinge eingesetzt, an die ich selber nicht

glaubte. Für die Bolschewiken empfand ich die Feindse-
ligkeit meiner Kaste, was sich in einer Zeit, wo die Karten noch nicht so oft und so geschickt durcheinanderge-
bracht worden waren wie heute, von selbst verstand. Aber
an dem Unglück der Weißrussen habe ich immer nur sehr
mäßigen Anteil nehmen können, und das Schicksal Euro-
pas hat mir nie den Schlaf geraubt. Einmal in das baltische
Räderwerk hineingeraten, begnügte ich mich damit, möglichst oft die Rolle des Zahnrades und möglichst selten die
des zerquetschten Fingers zu spielen. Was hätte ein Junge
auch sonst anfangen sollen, dessen Vater vor Verdun gefallen war und ihm als einziges Erbteil sein Eisernes Kreuz
und einen Titel hinterlassen hatte, um dessentwillen ihn
allenfalls eine Amerikanerin geheiratet hätte, sowie Schul-
den und eine halbverrückte Mutter, die ihre Tage damit
verbrachte, die Evangelien der Buddhisten und die Gedich-
te Rabindranath Tagores zu lesen? Konrad wenigstens war
in diesem unaufhörlich entgleisenden Leben ein Halt, eine
Bindung und ein Freund. Er war Balte mit russischem Blut;
ich war Preuße mit baltischem und französischem Blut; jeder von uns gehörte zwei benachbarten Nationen zugleich
an. Ich hatte in ihm jene von mir selbst ebensosehr geför-
derte wie verdrängte Fähigkeit wiedererkannt: an nichts
zu hängen und alles zu genießen und zugleich zu verach-
ten. Aber psychologische Erklärungen verfehlen stets das
Wichtigste: jenes unmittelbare Einvernehmen der Geister,
der Charaktere und der Körper, inbegriffen jenes unerklär-
liche Stück Fleisch, das wir wohl oder übel »Herz« nen-
nen und das bei uns beiden in einem wunderbar gleichen
Takte schlug, obschon in seiner Brust etwas schwächer als
in meiner. Sein Vater, der eine gewisse Sympathie für die
Deutschen hatte, war in der Nähe von Dresden in einem
Konzentrationslager gestorben, wo Tausende von russischen Gefangenen in Schwermut und Ungeziefer umkamen.
Mein Vater hingegen, der auf unseren Namen und unsere französische Herkunft so stolz war, hatte sich in einem
Schützengraben der Argonnen durch einen schwarzen Soldaten des französischen Heeres den Schädel einschlagen

lassen. So viele Mißverständnisse mußten mir in Zukunft ein für allemal jede rein persönliche Überzeugung zuwider machen. Im Jahre 1915 erlebten wir den Krieg und sogar die Trauer um die Toten glücklicherweise nur in Form endloser Schulferien, durch die wir allen Haus- und Examensarbeiten, dieser doppelten Qual jedes Jungen, entgingen.

Kratovice lag an der Grenze und in einer Art Sackgasse, wo damals, als die Kriegsdisziplin sich überall zu lockern begann, nachbarliche und verwandtschaftliche Beziehungen gelegentlich die Paßkontrolle ersetzten. Als preußische Witwe wäre meine Mutter, obschon sie Baltin und Kusine des Grafen von Reval war, von den russischen Behörden nicht wieder ins Land gelassen worden; vor der Anwesenheit eines sechzehnjährigen Kindes aber schloß man die Augen. Meine Jugend war der Passierschein, der mir gestattete, mit Konrad zusammen auf diesem verlorenen und vergessenen Besitz zu leben, wo man mich der Obhut seiner Tante, einer alten halb närrischen Jungfer, die den russischen Zweig der Familie vertrat, sowie dem Gärtner Michael anvertraute, der alle Eigenschaften eines treuen Hofhundes hatte. Ich erinnere mich, daß wir in dem Süßwasser der Seen und in dem salzigen Brackwasser des morgenrötlichen Wattenmeeres badeten und im Sande unsere Fußspuren, die gleich wieder von dem heftigen Sog des Wassers verwischt wurden, miteinander verglichen; daß wir im Heu nebeneinanderlagen und beide genüßlich Grashalme oder Tabakblätter kauten, während wir über alle möglichen Zeitfragen schwatzten, fest überzeugt, daß wir es einmal sehr viel besser machen würden als unsere Eltern, und ohne zu ahnen, daß nur Katastrophen und verschiedenste Formen des Irrsinns auf uns warteten. Ich erlebe jene Winternachmittage wieder, da wir Schlittschuh liefen oder das sogenannte »Engelspiel« spielten, bei dem man sich in den Schnee legt und dann mit den Armen um sich schlägt, bis die Silhouette des eigenen Körpers Flügel bekommt. Und mir fallen jene glücklichen Nächte wieder ein, da wir bis tief in den Morgen in dem Ehrenzimmer eines lettischen Bauernhofes und unter dem besten Daunenkissen der Bäuerin schliefen, die in jenen Zeiten der Lebensmittelknappheit ebenso gerührt wie entsetzt war über unseren jugendlichen Appetit.

Selbst Mädchen gab es in diesem nordischen, rings von Krieg umgebenen Paradies; und Konrad hätte sich nur zu gern an ihre bunten Unterröcke gehängt, wenn ich seine Verliebtheit nicht so geringschätzig belächelt hätte. Er gehörte zu jenen empfindlichen und zweifelnden Menschen, die sich durch Geringschätzung zutiefst getroffen fühlen und an ihren liebsten Neigungen zu zweifeln beginnen, sobald eine Geliebte oder ein Freund sich darüber lustig macht. Charakterlich waren wir bei aller Verwandtschaft so verschieden wie Marmor und Alabaster. Konrads Weichheit war nicht nur eine Frage des Alters. Er hatte eine Natur, die alle Falten mit der zärtlichen Nachgiebigkeit eines schönen Samtstoffes annahm und behielt. Man konnte sich ihn mit dreißig Jahren sehr gut vorstellen als kleinen stumpfsinnigen Landjunker, der hinter den Bauernmädchen und -jungen herlief, oder als jungen, eleganten und schüchternen Gardeoffizier und guten Reiter oder als gefügigen russischen Staatsbeamten oder gar unter dem Einfluß der Nachkriegszeit als einen Dichter im Schlepptau von T. S. Eliot oder von Jean Cocteau, der sich in den Berliner Bars herumtrieb. Wir unterschieden uns übrigens nur charakterlich. Körperlich glichen wir uns; wir waren gleich schlank, gleich hart, gleich geschmeidig und hatten dieselbe braune Hautfarbe und dieselben Augen. Konrads Haare waren etwas blonder, aber das ist nebensächlich. Im Felde hielt man uns für Brüder, was uns gegenüber Leuten, die keinen Sinn für leidenschaftliche Freundschaft haben, willkommen war. Wehrten wir uns gelegentlich aus übertriebener Wahrheitsliebe dagegen, so wurde uns allenfalls ein weniger naher Verwandtschaftsgrad zugebilligt, und man hielt uns für Vettern.

Wenn ich mir gelegentlich eine Nacht um die Ohren schlage, um mich, anstatt zu schlafen oder mich zu amüsieren oder auch einfach allein zu bleiben, mit ein paar halbverzweifelten Intellektuellen zu unterhalten, so setze ich diese Leute immer in Erstaunen durch die Behauptung: ich hätte das Glück gekannt, das wahre und wirkliche Glück, jene unwandelbare Goldmünze, die man zwar gegen eine Handvoll Groschen oder ein Bündel deutsches Papiergeld der Nachkriegszeit umtauschen kann, die aber selbst unverändert bleibt und gefeit ist gegen jede Entwertung. Die Erinnerung an die damaligen Zustände heilt einen von der deutschen Philosophie. Sie hilft einem überdies, einfacher zu leben und auch zu sterben. Ob ich mein damaliges Glück Konrad zu verdanken hatte oder lediglich meiner Jugend, ist unwichtig, denn meine Jugend und Konrad sind zusammen gestorben. Die harten Zeiten und das schreckliche entstellende Gesichtszucken von Tante Praskovia änderten nichts daran, daß Kratovice, wie gesagt, für uns ein großes friedliches Paradies war, wo es kein Verbot und keine Schlange gab. Und was das junge Mädchen angeht, es war schlecht frisiert und wenig anziehend. Sie verschlang alle Bücher, die ein kleiner jüdischer Student aus Riga ihr lieh, und verachtete alle jungen Männer.

Dann kam trotz allem die Zeit, wo ich mich über die Grenze schmuggeln mußte, um in Deutschland mein Dienstjahr abzuleisten, da ich mich sonst gegen die eindeutigste Forderung meines Gewissens vergangen hätte. Ich exerzierte unter der Fuchtel von Unteroffizieren, die schwach vor Hunger und Bauchschmerzen waren und nur daran dachten, sich Brotkarten zu besorgen. Von meinen Kameraden, die schon damals ein Vorspiel zum großen Nachkriegsdurcheinander lieferten, waren einzelne ganz sympathisch. Zwei Monate später wäre ich sicherlich ins Feld geschickt worden, um die von der feindlichen Artillerie zertrümmerte Front flikken zu helfen; mein Leib wäre dann wohl nur noch ein Teil der französischen Erde, und mein Blut würde friedlich in Frankreichs Weintrauben kreisen und in den Brombeeren, die die Kinder von den Hecken pflückten. Statt dessen aber kam ich gerade noch zur rechten Zeit, um die völlige Niederlage unserer Armee und den mißglückten Sieg des Gegners mitzuerleben. Die schönen Zeiten des Waffenstillstandes, der Revolution und der Inflation begannen. Natürlich war ich ruiniert und blickte mit sechzig Millionen anderer Menschen in eine hoffnungslose Zukunft. Es war der gegebene Augenblick, um auf den Gemütsköder einer rechts- oder linksgerichteten Utopie anzubeißen; aber ich habe diesen aufgeblasenen Wortschwall nie leiden können. Ich sagte Ihnen schon, daß ich nur rein menschliche Beweggründe für mein Handeln kenne, ohne irgendwelche Vorwände zu berücksichtigen, so daß meine Entscheidungen stets von einem bestimmten Gesicht, einem bestimmten Körper abhängig gewesen sind.

Der geplatzte russische Dampfkessel verbreitete über ganz Europa eine Wolke angeblich neuer Ideen; in Kratovice hatte sich ein Generalstab der Roten Armee einquartiert; die Verbindungswege zwischen Deutschland und den baltischen Ländern wurden immer gefährlicher, und Konrad gehörte zu jenen jungen Leuten, die keine Briefe schreiben. Ich selber hielt mich für erwachsen. Das war mein einziger Jugendirrtum; trotzdem war es selbstverständlich, daß ich, mit den anderen jungen Leuten und der alten Närrin von Kratovice verglichen, das reife und erfahrene Alter repräsentierte. Ein verantwortungsbewußtes Familiengefühl erwachte in mir, und zwar mit solchem Nachdruck, daß ich sogar das junge Mädchen und die Tante Praskovia unter meinen Schutz nahm.

Trotz ihrer pazifistischen Gesinnung billigte meine Mutter meinen Eintritt in das Freikorps des Generals Baron von Wirtz, das in Estland und Kurland gegen die Bolschewiken kämpfte. Die arme Frau hatte in jenen Gebieten Besitzungen, die von den Gegenangriffen der bolschewistischen Revolution bedroht waren und deren immer fragwürdiger werdende Einkünfte sie allein vor dem traurigen Schicksal schützen konnten, als Plätterin oder als Hotelzimmermädchen zu enden. Aber nicht weniger wahr ist, daß der Kommunismus im Osten und die Inflation in Deutschland ihr die willkommene Möglichkeit boten, ihre Freunde darüber hinwegzutäuschen, daß wir schon längst, ehe der Krieg zwischen dem Kaiser und den Alliierten begonnen hatte, ruiniert waren. Es war immer noch besser, für das Opfer einer Katastrophe gehalten zu werden als für die Witwe eines Mannes, der sich in Paris von Mädchen und in Monte Carlo von Croupiers hat ausnehmen lassen.

Ich hatte Freunde in Kurland; ich kannte das Land und sprach seine Sprache, ja sogar verschiedene Ortsdialekte. Trotz meiner Anstrengungen, so rasch wie möglich Kratovice zu erreichen, brauchte ich doch volle drei Monate, um die hundert Kilometer von Riga bis dort hinter mich zu bringen: drei feuchte, neblige Sommermonate, in denen man überall den jüdischen Händlern begegnete, die aus New York herbeigeeilt waren, um den russischen Flüchtlingen billig ihre Schmucksachen abzukaufen; drei Monate noch strenger Disziplin, Generalstabsgerüchte, mehr oder minder sinnloser Attacken, Tabakrauch, ständiger, bald dumpfer, bald wie ein heftiges Zahnweh bohrender Unruhe.

Nach etwa zehn Wochen sah ich Konrad wieder. Er trug eine tadellos sitzende Uniform, für die sicher einer von Tante Praskovias letzten Diamanten draufgegangen war. Er war blaß, und eine kleine bläuliche Narbe auf der Oberlippe gab ihm das Aussehen, als zerkaue er zerstreut ein Veilchen. Er hatte sich eine kindliche Unschuld und mädchenhafte Zartheit bewahrt und dabei nichts von jener nachtwandlerischen Tollkühnheit verloren, mit der er sich früher auf den Rücken eines Stieres oder den Kamm einer Welle zu schwingen pflegte. Die Abende verbrachte er damit, schlechte Verse im Rilke-Stil zu verfassen. Auf den ersten Blick merkte ich, daß sein Leben während meiner Abwesenheit stehengeblieben war. Es fiel mir weniger leicht, dies auch für mich selber und gegen den äußeren Schein zuzugeben. Fern von Konrad hatte ich wie auf Reisen gelebt. Alles an ihm flößte mir ein so unbedingtes Vertrauen ein, wie ich es späterhin keinem Menschen je wieder habe schenken können. In seiner Gegenwart und unter dem Zauber von soviel Einfachheit und Freimut waren Leib und Geist entspannt und konnten ungestört und daher um so wirksamer jede sich bietende Aufgabe in Angriff nehmen. Er war der ideale Kriegskamerad, wie er früher der ideale Spielgefährte gewesen war. Freundschaft ist vor allem Gewißheit, was sie von Liebe unterscheidet. Sie ist außerdem gegenseitige Achtung und rückhaltlose Bejahung eines anderen Menschen. Daß mein Freund bereit war, die Summe an Achtung und Vertrauen, die ich in unserer Beziehung investiert hatte, mir bis zum letzten Heller zurückzuzahlen, das hat er mir durch seinen Tod bewiesen. Konrads vielseitige Gaben hätten ihm, eher als mir, gestattet, sich aus Revolution und Krieg in weniger trostlose Landschaften zu flüchten. Seine Verse hätten gefallen, seine Schönheit nicht minder. Er hätte in Paris bei Frauen Erfolg haben können, die junge Künstler protegieren, oder hätte in den Kreisen der damaligen Berliner Bohème untertauchen können. Ich hatte mich in dieses baltische Durcheinander, das nur ein böses Ende nehmen konnte, letztlich nur seinetwegen hineinbegeben; und es wurde mir sehr bald klar, daß er nur meinetwegen solange dort geblieben war.

Durch ihn erfuhr ich, daß Kratovice vorübergehend von den Roten besetzt gewesen war, die sich auffällig friedlich benommen hatten – vielleicht dank der Anwesenheit des kleinen Juden Grigori Loew, der jetzt, als Leutnant verkleidet, in der bolschewistischen Armee diente und der früher als Angestellter einer Rigaer Buchhandlung Sophie in ehrfürchtiger Ergebenheit bei ihrer Lektüre beraten hatte. Seitdem lag das von unseren Truppen zurückeroberte Schloß mitten im Kriegsgebiet und war ständig plötzlichen Überfällen mit Maschinengewehrfeuer ausgesetzt. Während des letzten Alarms hatten die Frauen sich in den Keller geflüchtet. Nur Sonja – wie man Sophie geschmackloserweise nannte – hatte mit dem Mut des Wahnsinns darauf bestanden, den Keller zu verlassen, um ihren Hund spazierenzuführen.

Fast ebensosehr wie die Nachbarschaft der Roten beunruhigte mich die Anwesenheit unserer Truppen im Schloß, da sie unweigerlich die wenigen Vorräte meines Freundes aufzehren mußten. Ich begann die Hintergründe des Bürgerkrieges in einer sich auflösenden Armee zu durchschauen: die Schlaueren besorgten sich offensichtlich dort Winterquartier, wo es noch einen mehr oder minder unberührten Vorrat von Weinflaschen und jungen Mädchen gab. Es waren nicht der Krieg und nicht die Revolution, die das Land ruinierten, sondern seine Retter. Das kümmerte mich wenig, Kratovice aber war mir wichtig. Ich wies darauf hin, daß meine topographischen und sonstigen Kenntnisse jener Gegend nützlich verwendet werden könnten. Nach endlosem Hin und Her begriff man schließlich, was doch auf der Hand lag; und ich bekam dank der Hilfe der einen und der Intelligenz der anderen den Befehl, die Freikorpsbrigaden im Südosten des Landes neu zu organisieren, ein kümmerlicher Auftrag, den wir, Konrad und ich, in einem womöglich noch kümmerlicheren Zustand entgegennahmen; denn wir waren verdreckt bis auf die Knochen und so entstellt, daß die Hunde von Kratovice, wo wir erst in dunkelster Nacht ankamen, uns nicht wiedererkannten und uns anbellten. Wir waren – ein schöner Beweis meiner Ortskenntnis – bis zum Morgenrot vor der Nase der roten Vorposten in den Sümpfen herumgewatet. Unsere Waffenbrüder erhoben sich von der Tafel, an der sie immer noch saßen, und stellten uns ritterlich zwei Schlafröcke zur Verfügung. Sie hatten in besseren Zeiten Konrad gehört und waren jetzt fleckig und voller Löcher, die von glühender Zigarrenasche herrührten. Das Gesichtszucken der Tante Praskovia hatte sich durch all die Aufregungen so verschlimmert, daß ihre Grimassen ein feindliches Heer in die Flucht geschlagen hätten. Sonja hingegen hatte die allzu runden Kinderbakken verloren. Sie war schön. Die Mode der kurzen Haare stand ihr gut. Ein bitterer Zug um die Mundwinkel verstärkte den leicht mürrischen Ausdruck ihres Gesichts. Sie las abends nicht mehr, sondern vertrieb sich die Langeweile durch heftiges Stochern im Kaminfeuer des Salons, wobei sie hin und wieder tief aufseufzte wie eine weltmüde Ibsensche Heroine.

Aber statt vorzugreifen, will ich lieber jenen Augenblick der Heimkehr genau beschreiben: wie Michel in seiner lächerlichen Livreejacke und Soldatenhose uns die Tür öffnete und uns im Vestibül, dessen Lüster nicht mehr brannte, mit ausgestrecktem Arm die Stalllaterne ins Gesicht hielt. Die weißen Marmorwände sahen immer noch so eisig aus, daß man unwillkürlich an eine Louis-XV-Dekoration aus Schnee in einer Eskimobehausung denken mußte. Wie könnte ich je den gleichzeitigen Ausdruck zärtlicher Rührung und tiefen Widerwillens auf Konrads Gesicht vergessen, als er in dieses Haus zurückkehrte, dessen Zustand immerhin noch so gut war, daß jede kleinste Entstellung ihn persönlich kränkte, ob es nun das große, unregelmäßig sternförmige Loch eines Revolverschusses in dem Spiegel über der Haupttreppe war oder die Fingerabdrücke um die Klinke der Salontür. Die beiden Frauen lebten wie eingemauert in einem Boudoir der ersten Etage. Konrads helle Stimme bewog sie, sich bis auf die Schwelle vorzuwagen. Ich sah oben auf der Treppe einen blonden Struwwelkopf erscheinen. Sophie ließ sich in einem Rutsch das Treppengeländer hinuntergleiten; ein Hund lief hinter ihr her, der nach ihren Hacken schnappte. Sie warf sich unter Lachen und Freudensprüngen erst ihrem Bruder, dann mir um den Hals.

»Bist du's wirklich? Seid ihr's wirklich?«

»Zur Stelle!« sagte Konrad, »oder vielmehr: Nein. Es ist der Prinz von Trapezunt.« Er nahm seine Schwester in den Arm und tanzte mit ihr durchs Vestibül. Aber schon ließ er sie wieder los und eilte mit ausgestreckten Händen auf einen alten Kameraden zu, während sie, rot wie Mohn, vor mir stehenblieb.

»Wie Sie sich verändert haben, Erich!«

»Nicht wahr?« sagte ich. »Kaum wiederzuerkennen.«

»Nein«, sagte sie und schüttelte den Kopf.

»Aufs Wohl des verlorenen Bruders!« rief der kleine Franz von Aland, der, ein Glas Kognak in der Hand, auf der Türschwelle des Speisezimmers stand und nun hinter dem jungen Mädchen herlief.

»Komm, Sophie! Nur einen kleinen Schluck!«

»Sie wollen sich über mich lustig machen?« rief das junge Mädchen mit spöttischer Miene, schoß plötzlich unter dem ausgestreckten Arm des jungen Offiziers hindurch in die halboffene Glastür der Anrichte und rief uns zu:

»Ich werde fürs Essen sorgen.«

Währenddessen verschmierte sich Tante Praskovia, aufs Treppengeländer der ersten Etage gestützt, ihr Gesicht langsam mit Tränen und behauptete gurrend wie eine kranke Taube, daß ihre Gebete uns gerettet hätten. Ihr Zimmer roch nach Wachs und Tod, und überall hingen vom Kerzenrauch geschwärzte Ikonen, unter denen sich eine sehr alte Madonna befand, die einmal zwei Smaragde unter ihren silbernen Augenlidern getragen hatte. Während der kurzen bolschewistischen Besatzungszeit hatte ein Soldat die kostbaren Edelsteine herausgenommen, so daß Tante Praskovia jetzt vor einer blinden Gottesmutter betete. Nach kurzer Zeit kam Michel aus dem Keller mit einer Schüssel geräucherter Fische. Konrad rief vergeblich nach seiner Schwester, und Franz von Aland gab uns achselzuckend zu verstehen, daß sie jetzt nicht wieder erscheinen würde. Wir aßen ohne sie zu Abend.

Am nächsten Morgen sah ich sie bei ihrem Bruder wieder, aber sie entschlüpfte uns mit der Geschmeidigkeit einer jungen verwilderten Hauskatze. Und doch hatte sie mich in der ersten Freude des Wiedersehens voll auf den Mund geküßt. Ich überlegte unwillkürlich, daß dies der erste Kuß war, den ein junges Mädchen mir gab, und ich bedauerte, daß meine Eltern mir keine Schwester geschenkt hatten. Natürlich adoptierte ich statt dessen Sophie, soweit das möglich war. Das Leben auf dem Schloß nahm während der Kriegspausen seinen gewöhnlichen Gang. Die Dienerschaft war auf ein altes Kindermädchen und auf Michel, den Gärtner, reduziert. Dagegen hatten sich ein paar russische, aus Kronstadt geflohene Offiziere bei uns eingefunden, die man wie die Gäste eines nicht enden wollenden Jagdfestes geduldig ertrug. Aufgeweckt durch fernes Gewehrfeuer, verkürzten wir uns manchmal die endlose Nacht mit Kartenspielen. Unser vierter Bridgepartner war ein beliebiger Toter, dem wir meist den Namen oder Vornamen eines eben erst von einer feindlichen Kugel getroffenen Kameraden geben konnten. Sophies mürrische Laune verflüchtigte sich hin und wieder. Im Grunde aber behielt sie ihre scheue und spröde Grazie, wie das Land hier selbst nach Wiederkehr des Frühlings noch lange eine winterliche Strenge behält. Der schmale, nüchterne Lichtschein einer Lampe ließ ihr blasses Gesicht und ihre Hände aufleuchten. Sophie hatte genau mein Alter, was mich hätte warnen sollen, aber angesichts ihres vollentwickelten Körpers erschütterte mich vor allem der Ausdruck verwundeter Jugend in ihrem Gesicht. Es war klar, daß zwei Kriegsjahre allein den eigenwilligen und tragischen Ausdruck ihrer Züge nicht hinreichend erklären konnten. Aber sie hatte, noch im Backfischalter, die Gefahren des Feuergefechts erlebt, hatte die grauenvollen Berichte von Vergewaltigungen und Folterungen mitangehört, hatte gelegentlich gehungert und ständig in Angst gelebt und hatte zusehen müssen, wie eine Rotte roter Soldaten ihre Rigaer Vettern an die Wand des Hauses stellte und erschoß. Die seelische Anstrengung, die es gekostet hatte, sich an diese von Mädchenträumen so sehr verschiedenen Erlebnisse zu gewöhnen, erklärte zur Genüge den Blick ihrer schmerzlich geweiteten Augen. Sophie war nicht zärtlich, oder ich müßte mich sehr irren. Sie war nur unendlich großmütig. Man verwechselt häufig die Symptome dieser beiden so nahe verwandten Krankheiten. Es war offenbar etwas geschehen, das ihr wichtiger war als der Zusammenbruch ihres Landes und der Welt; und endlich begann ich zu begreifen, was jenes monatelange Zusammensein mit Männern, die überreizt waren durch Alkohol und ständig drohende Gefahren, für sie bedeutet haben mußte. Brutale Burschen, von denen sie sich vor zwei Jahren allenfalls zu einem Walzer hätte auffordern lassen, hatten sie allzu rasch mit der Wirklichkeit bekannt gemacht, die sich hinter Liebeserklärungen zu verbergen pflegt. Wie viele Fäuste hatten nachts an die Zimmertür des jungen Mädchens geschlagen, wie viele Arme sich um ihren Körper gelegt, aus denen sie sich mit Gewalt hatte befreien müssen, auf die Gefahr hin, ihr armseliges, schon so mitgenommenes Kleid zu zerreißen oder ihre junge Brust zu verletzen? Ich hatte ein Kind vor mir, das sich schon durch den bloßen Verdacht einer sinnlichen Regung beleidigt fühlte; und die Seite meiner Natur, durch die ich mich am meisten von den banalen Abenteurern unterscheide, denen jedes galante Abenteuer willkommen ist, mußte für Sonjas Verzweiflung das innigste Verständnis haben. Endlich erfuhr ich an einem Morgen im Park, wo Michel Kartoffeln ausgrub, das allen bekannte Geheimnis, das unsere Kameraden ritterlicherweise bis zum Schluß geheim hielten, so daß Konrad es nie erfahren hat. Sophie war von einem betrunkenen litauischen Sergeanten vergewaltigt worden. Der Mann, der später verwundet und ins Hinterland geschafft wurde, war am nächsten Tag zurückgekommen, hatte sich im großen Saal vor dreißig Personen hingekniet und hatte flehend um Verzeihung gebeten – was für das Kind wohl noch widerwärtiger gewesen war als das Erlebnis am Vortage. Wochenlang hatte das junge Mädchen sich mit der Erinnerung und der Angst vor einer möglichen Schwangerschaft gequält. Bei aller Vertrautheit, die später zwischen Sophie und mir bestand, habe ich es nie gewagt, auf dieses Unglück anzuspielen, das, wenn wir auch nie davon sprachen, uns doch stets gegenwärtig war.

Seltsamerweise brachte meine Mitwisserschaft sie mir näher. Für eine unschuldige und behütete Sophie hätte ich dieselbe leicht genierte Gleichgültigkeit empfunden, die ich in Berlin den Töchtern der Freundinnen meiner Mutter entgegenbrachte. Das Erlebnis ihrer Schändung war meinen eigenen Erlebnissen weniger fremd und versöhnte mich merkwürdigerweise mit meiner einzigen und peinlichen Erinnerung an ein Bordell in Brüssel. Später ließen schlimmere Erfahrungen Sophie diesen Zwischenfall, wohin meine Gedanken ständig zurückkehrten, anscheinend völlig vergessen, und eine so zutiefst unterschiedliche Haltung kann vielleicht allein all die Qualen entschuldigen, die ich ihr bereitet habe. Meine und ihres Bruders Anwesenheit gaben ihr nach und nach den Rang der Herrin von Kratovice zurück, den sie so weitgehend eingebüßt hatte, daß sie in ihrem eigenen Hause wie eine verstörte Gefangene lebte. Mit einer rührenden Gewichtigkeit war sie bereit, bei unseren Mahlzeiten den Ehrenplatz einzunehmen. Die Offiziere küßten ihr die Hand. Für eine kurze Weile bekamen ihre Augen den alten offenen Glanz zurück, der nur der Widerschein einer königlichen Seele war. Dann trübten diese alles bekennenden Augen sich aufs neue. Nur einmal noch habe ich sie in ihrer alten wundervollen Klarheit leuchten sehen; und die näheren Umstände sind mir nur allzu gegenwärtig.

Warum verlieben sich Frauen immer wieder in Männer, die das Schicksal ihnen nicht bestimmt hat, so daß diesen nur die Wahl bleibt, wider das eigene Wesen zu handeln oder sie zu hassen? Am Tage nach meiner Rückkehr glaubte ich Sophies wiederholtes tiefes Erröten, ihr plötzliches Verschwinden und jene schrägen Blicke, die so schlecht zu ihrem graden Wesen paßten, als Zeichen einer leichten Verwirrung deuten zu dürfen, die bei einem jungen Mädchen, das sich in aller Harmlosigkeit von einem Neuankömmling angezogen fühlt, nur allzu natürlich war. Später, als ich von ihrem Mißgeschick wußte, lernte ich jene Zeichen einer tödlichen Erniedrigung, die auch in Gegenwart ihres Bruders zum Vorschein kamen, weniger unzutreffend zu beurteilen. Ich habe mich aber allzu lange mit der zweiten, richtigeren Auffassung zufriedengegeben; und während ganz Kratovice gerührt oder erheitert von Sophies Leidenschaft für mich sprach, glaubte ich immer noch an das junge verstörte Mädchen. Es dauerte mehrere Wochen, ehe ich begriff, daß diese bald blassen, bald geröteten Wangen, dies Zittern und der zugleich beherrschte Ausdruck von Gesicht und Händen, dies plötzliche Verstummen und Sichüberstürzen etwas anderes als bloße Scham und mehr als bloßes Verlangen bedeuteten. Ich bin nicht eitel, was einem Mann leichtfällt, der die Frauen verachtet und der, um sich in dieser Meinung zu bestärken, nur mit den schlechtesten zu verkehren pflegt. Ich mußte daher Sophie falsch verstehen – und das um so mehr, als sie durch ihre zärtlich rauhe Stimme, ihr kurzes Haar, ihre kleinen Blusen und ihre großen, immer lehmverkrusteten Schuhe auf mich wie ein Bruder ihres Bruders wirkte. Ich irrte mich, dann begriff ich meinen Irrtum, und schließlich entdeckte ich hinter eben diesem Irrtum das einzig wesentliche Stück Wahrheit, das ich in meinem ganzen Leben kennengelernt habe. Einstweilen hielt ich oberflächlich gute Kameradschaft mit Sophie, wie ein Mann sie mit einem Jungen hält, den er nicht liebt. Dieses so falsche Verhältnis war für Sophie um so gefährlicher, als sie, die in der gleichen Woche wie ich geboren war und somit unter den gleichen Sternen stand, keineswegs weniger, sondern eher mehr Unglück erlebt hatte als ich. Sie war es denn auch, die von einem gewissen Augenblick an die Führung des Spiels übernahm – mit großer Vorsicht, da sie um ihr Leben spielte. Überdies war meine Aufmerksamkeit notwendigerweise geteilt, während sie mit Leib und Seele bei der Sache war. Für mich gab es Konrad und den Krieg und ein paar ehrgeizige Wünsche, die ich mir seitdem aus dem Kopf geschlagen habe. Für sie gab es sehr bald nur noch mich, als wären die übrigen Menschen um uns herum nur dazu da, die Staffage für die beginnende Tragödie abzugeben. Sie half der Magd in der Küche und im Hühnerhof, damit ich mich sattessen konnte, und nahm sich Liebhaber, um mich eifersüchtig zu machen. Ich mußte notgedrungen das Spiel verlieren, in welchem Sinne auch immer; und ich mußte das ganze Gewicht meines passiven Widerstandes aufbieten gegen das Gewicht dieses Geschöpfes, das unaufhaltsam auf sein Verhängnis zusteuerte.

Im Gegensatz zu den meisten nicht ganz gedankenlosen Menschen sind Selbstverachtung und Eigenliebe mir gleichermaßen fremd. Allzu deutlich empfinde ich das Abgeschlossene, Notwendige und Unvermeidliche jeder Handlung, obschon sie kurz zuvor selber so wenig vorauszusehen ist wie kurz danach ihre Folgen. Festgelegt durch eine Reihe unwiderruflicher Entscheidungen, hatte ich, wie ein Tier, nie Zeit gefunden, mir selber problematisch zu werden. Und wenn es zum Wesen der Jugend gehört, sich dem natürlichen

Lauf der Dinge nicht anpassen zu können, so war ich zweifellos jünger und unfähiger zur Anpassung geblieben, als ich selber glaubte; denn Sophies einfache Liebe versetzte mich, als ich sie begriff, in eine Bestürzung, die fast eine Art Empörung war. Unter den gegebenen Umständen war jede Überraschung für mich eine Gefahr, die rasches Handeln verlangte. Ich hätte Sophie hassen müssen. Sie hat nie geahnt, welches Verdienst ich mir um sie erwarb, dadurch daß ich nichts dergleichen tat. Jede verschmähte Geliebte aber vermag unseren Eigendünkel auf eine ziemlich schäbige Art zu erpressen. Die Selbstgefälligkeit und das Erstaunen darüber, daß man endlich so eingeschätzt wird, wie man es immer erhofft hatte, sind daran schuld, und man findet sich damit ab, die Rolle einer Gottheit zu spielen. Ich muß auch sagen, daß Sophies Verblendung weniger grotesk war, als es den Anschein hatte. Nach so viel unglücklichen Erlebnissen fand sie endlich einen Mann ihres Standes wieder, der zugleich ein Jugendfreund war. Aus all den Romanen, die sie zwischen zwölf und achtzehn gelesen hate, ging deutlich hervor, daß die Freundschaft für den Bruder in der Liebe für die Schwester ihre Vollendung findet. Diese instinktive Überlegung war im Grunde richtig, da sie eine gewisse Besonderheit auf seiten des Partners nicht voraussehen konnte. Aus leidlich gutem Hause, ziemlich gut aussehend und noch so jung, daß alle Hoffnungen berechtigt waren, war ich wie geschaffen, um alle Erwartungen eines jungen Mädchens zu erwecken, das bisher in Zwangshaft mit ein paar gleichgültigen Grobianen und dem bezauberndsten aller Brüder gelebt hatte – anscheinend ohne von der Natur mit einem noch so flüchtigen Hang zum Inzest begabt worden zu sein. Damit aber auch der Inzest nicht völlig fehle, machte die Magie der Erinnerungen aus mir einen älteren Bruder. Unmöglich, nicht das Spiel zu wagen, wenn man alle Karten in der Hand hat. Ich konnte allenfalls eine Partie überschlagen – aber auch das hieß bereits spielen. Sehr rasch bildete sich zwischen uns ein stillschweigendes Einvernehmen von Henker und Opfer heraus. Die Grausamkeit kam nicht von mir; sie lag in den Umständen. Daß ich Gefallen daran fand, ist nicht ausgeschlossen. Die Blindheit der Brüder steht der Blindheit der Ehemänner in nichts nach. Konrad war ahnungslos. Er war eine von jenen beneidenswerten Naturen, die vorwiegend in Träumen leben, alle falschen und aufreizenden Seiten der Wirklichkeit übersehen und unvermindert aus der Selbstverständlichkeit der Nacht in die Einfachheit des Tages hinüberwechseln. Im sicheren Besitz einer brüderlich ergebenen Seele, deren Verstecke er nicht zu erforschen brauchte, tat er seinen Dienst, schlief, las, wagte sein Leben, übernahm den Telegraphen und schrieb Verse, die nie mehr als ein fader Abglanz seines liebenswerten Wesens waren.

Wochenlang machte Sophie alle Qualen einer Liebenden durch, die sich für unverstanden hält und daran verzweifelt. Gereizt durch das, was sie für meine Dummheit hielt, wurde ihr dieser Zustand allmählich langweilig, in dem nur ein romantisches Herz sich hätte gefallen können – romantisch, sie war es nicht mehr als ein Messer. Sie machte mir Geständnisse, die sie für unmißverständlich hielt und die doch voll hinreißender Zurückhaltung waren.

»Wie gemütlich es hier ist!« sagte sie und klopfte energisch die Asche ihrer kurzen Bauernpfeife aus, während wir es uns in einer der im Park verstreuten Hütten bequem machten. Mit jener Verschlagenheit, über die sonst nur Liebende verfügen, war es uns gelungen, für eine kurze Zeit allein zu sein.

»Ja, es ist wirklich gemütlich«, wiederholte ich, entzückt von dem ungewohnt zärtlichen Ton, mit dem sie gleichsam ein neues musikalisches Thema in unserem Zusammenspiel anschlug. Linkisch strich ich über die kräftigen, fest auf den Gartentisch gestützten Arme, wie ich etwa einen schönen Hund oder ein geschenktes Pferd gestreichelt haben würde.

»Haben Sie Vertrauen?«

»Der Tag ist klarer nicht als deines Herzens Tiefe.«

»Erich«, und sie stützte ihr Kinn schwer auf ihre gefalteten Hände, »ich möchte Ihnen lieber gleich sagen, daß ich mich in Sie verliebt habe ... Wenn Sie wollen ... verstehen Sie? ... Und selbst wenn es nicht ernst ist ... «

»Mit Ihnen ist es immer ernst, Sophie.«

»Nein«, sagte sie, »Sie glauben mir nicht.«

Und während sie ihren Kopf zurückwarf mit einer Geste gekränkten Trotzes, die bezaubernder war als alle Zärtlichkeiten, fügte sie hinzu:

»Sie dürfen sich aber nicht einbilden, daß ich zu anderen auch so gut bin.«

Wir waren beide zu jung, um völlig unpathetisch zu sein. Aber Sophie war von einer verwirrenden Gradheit, die die Gelegenheit zu Mißverständnissen noch vermehrte. Ein Tisch aus Tannenholz, der nach Harz roch, trennte mich von diesem Geschöpf, das sich ohne Umschweife anbot, während ich mit Tinte ein immer zittriger werdendes Punktmuster auf eine abgenutzte Generalstabskarte zeichnete. Um jeden Verdacht auszuschalten, als wolle sie mich zum Komplizen machen, hatte Sophie ihr ältestes Kleid, ein ungepudertes Gesicht, zwei Holzschemel und die Nähe von Michel gewählt, der im Hof Holz spaltete. In diesem Augenblick, wo sie den Gipfel der Schamlosigkeit zu erreichen glaubte, würde ihre Naivität alle Mütter entzückt haben. Eine solche Offenherzigkeit war übrigens verschlagener als alle List; und hätte etwas mich in Sophie verliebt machen können, so war's der direkte Angriff dieses Geschöpfes, in welchem ich keineswegs eine Frau zu erblicken gewillt war. Ich wich zurück unter den nächstliegenden Vorwänden, die sich mir boten, und entdeckte zum ersten Mal, daß die Wahrheit unter Umständen einen gemeinen Geschmack haben konnte. Verstehen Sie mich recht: Ich fand die Wahrheit gemein, weil sie mich zwang, Sonja zu belügen. Von diesem Augenblick an hätte ich vernünftigerweise dem jungen Mädchen aus dem Wege gehen sollen; aber abgesehen davon, daß ein solches Ausweichen in unserer Lage nicht gerade leicht war, konnte ich diesen Wein, an dem ich mich keinesfalls berauschen wollte, doch nicht mehr entbehren. Ich gebe zu, daß eine solche Selbstgefälligkeit Fußtritte verdient, aber Sophies Liebe hatte in mir die ersten Zweifel an der Rechtmäßigkeit meiner bisherigen Lebensanschauung erweckt, während ihre völlige Hingabe mich eher noch in meiner männlichen Würde oder Eitelkeit bekräftigte. Das komische an der Sache war, daß ausgerechnet meine Kälte und meine Weigerung mir ihre Liebe erwarben. Sie hätte mich mit Abscheu zurückgestoßen, wenn sie bei unseren ersten Begegnungen in meinen Augen jenen Glanz bemerkt hätte, den sie jetzt in ihnen so verzweiflungsvoll vermißte. In einem Akt der Selbstbesinnung, der rechtschaffenen Naturen niemals schwerfällt, hielt sie sich wegen ihres tollkühnen Geständnisses für verloren: das hieß, nicht daran zu zweifeln, daß die Befriedigung des Stolzes genausoviel Genuß gewährt wie die Befriedigung des Fleisches. Wie die Frauen sich früher heroisch in ihr Korsett einzwängten, so zwang sie sich jetzt zu äußerster Zurückhaltung. Ich hatte nur noch die gespannten Muskeln eines Gesichts vor mir, das sich verkrampfte, um nicht zu zittern. Schon beim ersten Anlauf erreichte sie die Schönheit der Akrobaten und der Märtyrer. Mit einer einzigen Bewegung hatte das Kind sich ohne Vorbehalt oder Fragen auf den schmalen Grat einer hoffnungslosen und bodenlosen Liebe hinaufgeschwungen. Es war sicher, daß sie sich dort nicht lange halten konnte. Nichts erschüttert mich so sehr wie Mut. Ein so rückhaltloses Opfer verdiente mein rückhaltloses Vertrauen. Sophie hat nie geglaubt, daß ich es ihr jemals schenken würde, obschon sie nicht wußte, wie tief ich allen Menschen mißtraute. Gegen allen Anschein bereue ich es nicht, Sophies Hingabe in den Grenzen des mir Möglichen erwidert zu haben. Ich hatte sofort ihre unveränderliche Natur erkannt, mit der man wie mit einem Element einen ebenso gefährlichen wie verläßlichen Pakt schließen konnte. Man kann sich auf das Feuer verlassen, wenn man weiß, daß es nur brennen oder erlöschen kann. Ich hoffe, Sophie hat sich an jenes Leben, das wir Seite an Seite führten, ebenso wie ich, ein paar schöne Erinnerungen bewahrt. Es ist übrigens nicht sehr wichtig, da sie nicht lange genug gelebt hat, um ihre Vergangenheit auf Zinsen zu legen.

Gleich nach Michaelis begann es zu schneien. Dann taute es und schneite es von neuem. Nachts sah das unbeleuchtete Schloß aus wie ein verlassenes Schiff inmitten einer Eisbank. Konrad arbeitete allein im Turm. Ich studierte die

Depeschen, die meinen Tisch bedeckten. Sophie trat in mein Zimmer mit der tastenden Vorsicht einer Blinden. Sie setzte sich aufs Bett und schaukelte mit den Beinen, die in dicken Wollsocken steckten. Obschon sie sich sicherlich die bittersten Vorwürfe machte, daß sie sich nicht an die Bedingungen unseres Abkommens hielt, war sie doch sowenig imstande, ihre Frauennatur zu verleugnen, wie eine Rose aufhören kann, eine Rose zu sein. Alles in ihr verriet ihr leidenschaftliches Verlangen, dem sich die Seele noch tausendmal mehr verschrieben hatte als der Leib. Die Stunden schleppten sich hin. Die Unterhaltung stockte oder endete mit Vorwürfen; Sophie erfand lauter Vorwände, mein Zimmer nicht zu verlassen. Allein mit mir, suchte sie unbewußt jene Gelegenheiten, bei denen Frauen Männer vergewaltigen. Obwohl sie mich nicht reizten, liebte ich diese aufreibenden Duelle, bei denen mein Gesicht eine Maske trug, während das ihre nackt war. Das kalte und verräucherte Zimmer mit dem schäbigen Öfchen verwandelte sich in einen Fechtsaal, wo ein junger Mann und ein junges Mädchen ständig auf ihrer Hut, in steigender Erregung bis zum Morgen miteinander kämpften. Das erste Frühlicht brachte uns einen Konrad zurück, der müde und zufrieden war, wie ein Kind, das aus der Schule kommt. Ein paar marschbereite Kameraden, die mit mir zu den Vorposten gehen wollten, steckten ihre Köpfe in die offene Tür und wollten das erste morgendliche Glas Schnaps mit uns trinken. Konrad setzte sich neben Sophie, um ihr unter allgemeinem Gelächter die ersten Takte eines englischen Gassenhauers beizubringen. Er sah, daß ihre Hände zitterten, und gab dem Alkohol die Schuld.

Ich habe mir oft gesagt, daß Sophie meine erste Weigerung vielleicht mit einer heimlichen Erleichterung aufnahm und daß ihr Vorschlag ein gut Teil Überwindung in sich schloß. Ihr einziges böses Abenteuer war noch so frisch, daß sie der körperlichen Liebe kühner, aber zugleich ängstlicher als andere Frauen entgegensah. Außerdem war meine Sophie schüchtern, was ihre gelegentlichen Anfälle von Mut erklärte. Sie war zu jung, um schon zu wissen, daß das Leben nicht aus plötzlichen Aufschwüngen und hartnäckiger Standhaftigkeit besteht, sondern aus Nachgeben und Vergessen. In dieser Hinsicht wäre sie immer jung geblieben, auch wenn sie sechzig Jahre alt geworden wäre. Aber Sophie wuchs sehr bald über jene Stufe hinaus, wo die Hingabe eine leidenschaftliche Willenshandlung darstellt, um jene andere Stufe zu erreichen, wo man sich mit der gleichen Natürlichkeit hingibt, wie man atmet, um zu leben. Fortan war ich die Antwort, die sie sich selber gab. Ihr früheres Unglück schien ihr durch meine Abwesenheit genügend erklärt zu sein. Sie hatte gelitten, weil die Liebe noch nicht über der Landschaft ihres Lebens aufgegangen war; und das machte die rauhen Wege, auf die die zufälligen Zeitläufe sie verschlagen hatten, noch rauher. Jetzt, da sie liebte, legte sie ihre letzten zögernden Bedenken eines nach dem anderen so selbstverständlich ab wie ein durchnäßter Reisender seine Kleider in der Sonne und stand nackt vor mir da, wie es noch keine Frau jemals getan hatte. Vielleicht konnte sie, nachdem sie all ihre Ängste und ihr Sträuben dem Manne gegenüber auf einen Schlag überwunden hatte, nun ihrem ersten Geliebten nur noch die bezaubernde Süße einer Frucht darbringen, die sich ebenso dem Munde anbietet wie dem Messer. Eine solche Leidenschaft stimmt allem zu und ist mit wenigem zufrieden. Ich brauchte nur in das Zimmer zu treten, wo Sophie sich gerade befand, so nahm ihr Gesicht sogleich jenen ausgeruhten Ausdruck an, den man im Bett hat. Berührte ich sie, so hatte ich den Eindruck, als verwandle sich alles Blut in ihren Adern zu Honig. Auch der beste Honig gärt mit der Zeit. Ich zweifelte keinen Augenblick daran, daß ich für jeden meiner Fehler hundertfältig würde zahlen müssen und daß Sophies verzichtende Ergebenheit mir noch besonders zur Last gelegt werden würde. Die Liebe hatte mir Sophie wie einen Handschuh aus ebenso nachgiebigem wie festem Gewebe in die Hände gelegt. Es konnte geschehen, daß ich sie verließ und eine halbe Stunde später wie einen vergessenen Gegenstand auf derselben Stelle wiederfand. Ich war abwechselnd anmaßend und zärtlich zu ihr in der immer gleichen Absicht, sie noch verliebter und noch unglücklicher zu machen. Die

Eitelkeit machte mich ihr gegenüber genauso schuldig, wie die Begierde es getan hätte. Später, als ich sie ernst zu nehmen begann, ließ ich die Zärtlichkeiten fallen. Ich war sicher, daß Sophie niemandem ihr Leid klagen würde, aber ich wundere mich, daß sie unsere seltenen Glücksstunden nicht Konrad gebeichtet hat. Es muß schon damals ein stillschweigendes Einvernehmen zwischen uns bestanden haben, Konrad wie ein Kind zu behandeln. Man redet immer so, als ob Tragödien sich im Leeren abspielen, während sie doch stets durch ihren Hintergrund mitbedingt sind. Unsere glücklichen wie unsere unglücklichen Stunden in Kratovice hatten als Hintergrund jenen Korridor mit seinen vernagelten Fenstern, in dem man sich fortwährend an etwas stieß, oder jenen Salon, aus dem die Bolschewiken nur die chinesische Waffensammlung mitgenommen hatten und wo das von einem Bajonett durchbohrte Bildnis einer ihr Mißgeschick belächelnden Dame von der Wand auf uns herabblickte. Auch die Zeit spielte auf ihre Weise mit, indem wir ungeduldig auf die Offensive warteten und ständig die Möglichkeit eines baldigen Todes vor Augen hatten. Wenn Frauen ihre Reize für gewöhnlich ihrem Toilettentisch, ihrem Friseur und ihrer Schneiderin verdanken und ihr glückliches, beschütztes Leben im Widerschein der Spiegel genießen konnten, so gewann Sophie ihre Vorzüge aus dem peinlichen Durcheinander eines zur Kaserne gewordenen Hauses; sie war gezwungen, ihre Unterwäsche aus rosa Wolle vor unseren Augen im Licht einer Petroleumlampe zu stopfen und wusch unsere Hemden mit einer selbstfabrizierten Seife, die die Haut ihrer Hände rissig machte.

Die ständigen Reibungen einer fortwährend bedrohten Existenz machten uns einerseits überempfindlich und andererseits abgestumpft. Ich erinnere mich noch an einen Abend, als Sophie es auf sich nahm, ein paar schwindsüchtige Hühner für uns zu schlachten und zu rupfen. Nie wieder habe ich ein Gesicht gesehen, das so resolut und doch so frei von jeder Grausamkeit war. Ich pustete ihr ein paar Flaumfedern aus dem Haar. Ihre Hände rochen fade nach Blut. Wenn sie nach solchen Tätigkeiten müde in ihren schweren Schneeschuhen ins Haus zurückkam, warf sie ihren feuchten Pelz in irgendeine Ecke, wollte nichts essen oder stürzte sich gierig auf die gräßlichen Pfannkuchen aus verdorbenem Mehl, mit denen sie uns hartnäckig verwöhnte. Bei solcher Lebensweise magerte sie natürlich ab.

Sie sorgte für uns alle. Aber ein Lächeln ließ mich wissen, daß sie dennoch nur für mich da war. Sie mußte wohl ein gutes Herz haben, da sie alle Gelegenheiten, mich zu quälen, versäumte. Bedroht von einer Niederlage, die keine Frau verzeiht, tat sie das, was einem rechtschaffenen und jeder Hoffnung beraubten Herzen zu tun übrig bleibt: sie suchte, um sich selber zu strafen, die schlimmsten Erklärungen für ihr Verhalten und beurteilte oder vielmehr verurteilte sich, wie Tante Praskovia es getan hätte, wenn sie dazu imstande gewesen wäre. Sie hielt sich für unwürdig. Vor soviel Unschuld hätte man auf die Knie sinken mögen. Sie dachte übrigens keinen Augenblick daran, das Geschenk ihrer Hingabe zu widerrufen. Es war für sie so endgültig, als hätte ich es angenommen. Es war ein Zug dieser hochsinnigen Natur, daß sie das Almosen, das ein Armer verschmäht hatte, nicht zurücknahm. Daß sie mich verachtete, davon bin ich überzeugt und hoffe es für sie. Aber trotz aller Verachtung würde sie mir doch in einer liebevollen Aufwallung die Hände geküßt haben. Ich lauerte gierig auf einen Zornesausbruch, einen verdienten Vorwurf oder irgendeine Handlung, die in ihren Augen so etwas wie ein Sakrileg gewesen wäre; doch hielt sie sich unentwegt auf der Höhe, die ich von ihrer aberwitzigen Liebe forderte. Hätte ihr Herz eine Taktlosigkeit begangen – es hätte mich beruhigt und zugleich enttäuscht. Sie begleitete mich wiederholt auf meinen Patrouillengängen durch den Park; für sie mußten es Spaziergänge einer Verurteilten gewesen sein. Ich liebte es, wenn der kalte Regen uns in den Nacken schlug und uns das Haar durchnäßte, wenn sie ihren Husten mit hohler Hand zu unterdrücken suchte, wenn ihre Finger mit einem Schilfhalm spielten, während wir den einsamen glatten Weiher entlanggingen, in dem an jenem Tage die Leiche eines Feindes schwamm. Plötzlich lehnte sie sich an einen Baum und sprach wohl eine Viertelstunde lang, ohne daß ich sie unterbrach, über die Liebe. Eines Abends mußten wir uns, bis auf die Knochen durchnäßt, in den verfallenen Jagdpavillon flüchten. Eng beieinanderstehend, zogen wir in dem einzigen engen Raum, der noch ein Dach hatte, unsere Kleider aus. Aus einer Art Prahlerei behandelte ich meine Gegnerin wie einen Freund. In eine Pferdedecke gehüllt, trocknete sie meine Uniform und ihr wollenes Kleid am Feuer, das sie angezündet hatte. Auf dem Heimweg mußten wir uns ein paarmal hinwerfen, um nicht von einer Kugel getroffen zu werden. Ich faßte sie wie ein Liebender um die Hüften, um sie mit Gewalt neben mich auf den Boden eines Grabens zu werfen, was immerhin bewies, daß ich nicht ihren Tod wünschte. Inmitten solcher Qualen ärgerte es mich, daß ich immer wieder jene bewundernswerte Hoffnung in ihren Augen aufleuchten sah, jenes unerschütterliche Bewußtsein ihres Rechts, das eine Frau nie, auch nicht unter Martern, aufgibt. Eine so rührende Unfähigkeit zum Verzweifeln rechtfertigt den katholischen Glauben an ein Purgatorium, das die halbwegs unschuldigen Seelen vor der Hölle rettet. Von uns beiden würde man nur sie bedauert haben. Sie hatte die bessere Rolle.

Die furchtbare Einsamkeit einer unglücklich liebenden Seele wurde für sie dadurch noch Unerträglicher, daß sie anders dachte als wir alle. Sophie sympathisierte kaum versteckt mit den Roten. Für ein Herz wie das ihre war es offenbar der Gipfel der Ritterlichkeit, dem Feinde recht zu geben. Da sie es gewohnt war, gegen sich zu denken, fiel es ihr vielleicht ebenso leicht, den Gegner zu rechtfertigen wie mich freizusprechen. Diese Art zu denken stammte aus Sophies jungen Tagen; und Konrad hätte sie gewiß geteilt, wenn er nicht stets und unbesehen meine Ansichten übernommen hätte. Jener Oktober war einer der allerschlimmsten Monate des Bürgerkrieges. Der General von Wirtz, der sich im Innern der baltischen Provinzen verschanzte, hatte uns so gut wie aufgegeben, so daß wir uns wie Schiffbrüchige im Büro des Verwalters von Kratovice zusammenfanden und über unsere Lage berieten. Sophie, den Rücken gegen die Tür gelehnt, pflegte diesen Beratungen beizuwohnen. Offenbar kämpfte sie innerlich darum, sich ein gewisses Gleichgewicht zu bewahren zwischen ihren Überzeugungen – die schließlich ihren einzigen persönlichen Besitz darstellten – und der Kameradschaft mit uns, die sie nicht aufgeben wollte. Sie wird sich wohl mehr als einmal gewünscht haben, daß eine Bombe unseren Generalstabspalavern ein Ende machen möge, und ihr Wunsch wäre ihr mehrmals um ein Haar erfüllt worden. Sie war übrigens so wenig empfindlich, daß sie es ohne Protest geschehen ließ, daß rote Gefangene unter ihren Fenstern erschossen wurden. Ich fühlte, wie jeder einzelne Beschluß, der in ihrer Gegenwart gefaßt wurde, einen Ausbruch von Haß in ihrem Innern hervorrief, während sie andererseits zu praktischen Einzelfragen mit dem gesunden Verstand einer Bäuerin Stellung nahm. Waren wir allein, so stritten wir über die Folgen dieses Krieges und über die Zukunft des Marxismus mit einer Heftigkeit, die sich zum Teil aus dem beiderseitigen Bedürfnis nach einem Alibi erklärte. Sie verheimlichte ihre Sympathien nicht vor mir; sie waren das einzige, was von ihrer Leidenschaft unberührt geblieben war. Neugierig zu sehen, wie weit bei Sophie eine Niedrigkeit gehen würde, die durch ihre Verliebtheit etwas Grandioses bekam, versuchte ich mehrmals, das junge Mädchen mit ihren eigenen Grundsätzen oder vielmehr mit den ihr von Loew eingeimpften Ideen in Widerspruch zu bringen. Es gelang mir weniger leicht, als man hätte glauben können. Sie protestierte voll Einpörung. Sie hatte ein seltsames Bedürfnis, alles zu hassen, was zu mir gehörte, außer mich selber. Ihr Vertrauen zu mir blieb aber deshalb nicht weniger unbedingt und verleitete sie, mir einige kompromittierende Zugeständnisse zu machen, die sie keinem anderen gemacht haben würde. Eines Tages gelang es mir, sie dazu zu bringen, eine Ladung Munition auf ihrem Rücken bis in die vorderste Linie zu tragen. Sie ergriff gierig diese Gelegenheit zu sterben. Andererseits hat sie nie einen Schuß in unseren Reihen abgeben wollen. Das war schade, denn sie hatte mit sechzehn Jahren auf den Treibjagden eine erstaunlich sichere Hand bewiesen.

Sie suchte sich Nebenbuhlerinnen. Bei diesen Verhören, die mich jedesmal aufbrachten, sprach vielleicht weniger die Eifersucht aus ihr als die Neugier. Wie ein Kranker, der fühlt, daß er verloren ist, verlangte sie keine Heilmittel mehr, wohl aber Erklärungen. Sie wünschte Namen, die ich unvorsichtigerweise nicht erfand. Eines Tages versicherte sie mir, daß sie mühelos verzichtet haben würde, wenn es sich um eine von mir geliebte Frau gehandelt hätte. Sie kannte sich schlecht; denn hätte es diese Frau gegeben, so würde Sophie sie meiner für unwürdig erklärt und außerdem versucht haben, uns zu trennen. Die romantische Hypothese: ich hätte eine Mätresse in Deutschland zurückgelassen, würde nichts an unserer täglichen Intimität noch an unserem nächtlichen Zusammensein geändert haben. Andererseits konnte ein etwaiger Verdacht sich bei unserem zurückgezogenen Leben nur auf zwei oder drei Wesen richten, deren Gunstbezeugungen nichts erklärt hätten und niemanden zufriedenstellen konnten. Sophie machte mir sinnlose Szenen wegen einer rothaarigen Bauerndirne, die für uns das Brot backte. Eines Abends war ich so brutal, Sophie zu sagen, daß ich, wenn es mich nach einer Frau verlangt hätte, an sie selber zuallerletzt gedacht haben würde. Das war die reine Wahrheit; und doch fehlte es Sophie gewiß nicht an Schönheit. Sie war Frau genug, um nur daran zu denken. Sie schwankte wie ein Straßenmädchen unter dem brutalen Faustschlag eines Betrunkenen, lief aus dem Zimmer und stürzte, sich an der Rampe festhaltend, die Treppe hinauf. Ich hörte ihr Schluchzen und ihre stolpernden Schritte.

Sie wird die Nacht vor dem weiß eingerahmten Spiegel ihres Jungmädchenzimmers zugebracht und sich immer wieder prüfend gefragt haben, ob ihr Gesicht, ob ihr Körper wirklich nur einen angeheiterten Sergeanten verführen konnten und ob ihr Haar, ihr Mund und ihre Augen denn wirklich gar keine Gegenliebe verdienten. Der Spiegel zeigte ihr die Augen eines Kindes und eines Engels, ein breites, etwas formloses Gesicht – ein blühendes Stück Frühlingserde –, von stillen Tränen überströmte Wangen aus Sonne und Schnee, einen Mund, dessen Röte fast erschreckend schön war, und blonde Haare – so blond wie das gute Bauernbrot, das es nicht mehr gab. Es grauste sie vor all diesen Dingen, die sie so im Stich ließen und ihr nichts, gar nichts halfen bei dem geliebten Mann. Verzweifelt verglich sie sich mit Pearl White und der russischen Kaiserin, deren Photographien an der Wand hingen, und weinte, bis es hell wurde, ohne daß sie es fertiggebracht hätte, das Leuchten ihrer zwanzigjährigen Augen zu trüben. Am nächsten Tag bemerkte ich, daß sie in der Nacht nicht die Lockenwickel getragen hatte, mit denen sie manchmal bei nächtlichen Alarmen erschien und dann einer schlangengekrönten Meduse glich. Sie hatte sich ein für allemal mit ihrer Häßlichkeit abgefunden und war heroisch entschlossen, mit glattem Haar vor mir zu erscheinen. Ich lobte ihre glatte Frisur, worauf sie, wie ich es vorausgesehen hatte, wieder Mut faßte. Sie blieb ein wenig beunruhigt wegen ihres angeblichen Mangels an Anmut, was ihr jedoch eine neue Art von Selbstsicherheit gab, als dürfe sie nunmehr, seit sie es aufgegeben habe, durch Schönheit auf mich zu wirken, um so nachdrücklicher meine Freundschaft beanspruchen.

Ich war nach Riga gefahren, um die Einzelheiten der nächsten Offensive zu besprechen, und hatte in dem aus amerikanischen Lustspielfilmen bekannten wackligen Fordwagen zwei Kameraden mitgenommen. Kratovice sollte Operationsbasis werden. Konrad war dort geblieben und traf die nötigen Vorbereitungen mit jenem nachlässigen Eifer, der seine Spezialität war und außerdem unseren Leuten das Gefühl der Sicherheit gab. Wenn unsere sämtlichen Zukunftserwartungen sich erfüllt hätten, so wäre er der bewundernswerte Adjutant eines Bonaparte geworden, der ich selber nicht geworden bin – einer von jenen idealen Schülern, ohne die der Meister nicht zu erklären ist. Zwei Stunden lang rutschten wir auf den vereisten Straßen von einer Seite zur andern und setzten uns allen Möglichkeiten eines plötzlichen Todes aus, die ein Autofahrer riskiert, der sein

Weihnachtsferien in der Schweiz verbringt. Ich war erbittert über die Wendung, die sowohl der Krieg wie mein privates Leben zu nehmen drohten. Die Teilnahme an dem antibolschewistischen Feldzug in Kurland bedeutete nicht nur Todesgefahr; es kam hinzu, daß die ewigen Abrechnungen, die Kranken, der Telegraph und die drückende oder duckmäuserische Gegenwart unserer Kameraden nach und nach mein Verhältnis zu Konrad trübten. Menschliche Zärtlichkeit verlangt, zumal in Zeiten der Unsicherheit, ein gewisses Maß von Stille und Einsamkeit. In einer Mannschaftsstube und zwischen zwei Abkommandierungen zu irgendwelchen dreckigen Arbeiten kommen Liebe und Freundschaft notgedrungen zu kurz. Das Leben in Kratovice war für mich wider alles Erwarten eine einzige ständige Dreckarbeit geworden. Sophie allein ertrug diese niederdrückende und tödlich langweilige Atmosphäre mit vorbildlicher Haltung, wie denn das Unglück Plagen besser erträgt als das Glück. Aber gerade um Sophie zu entfliehen, hatte ich mich nach Riga schicken lassen. Die novembertrübe Stadt war düsterer denn je. Ich erinnere mich nur noch an unseren Ärger über von Wirtz' Unentschiedenheit und an den grauenvollen Champagner, den wir in einem russischen Nachtlokal tranken in Gesellschaft einer echten Moskauer Jüdin und zweier Ungarinnen, die sich für Französinnen ausgaben und deren Pariser Anstrich mir den Magen umdrehte. Ich hatte seit Monaten nichts von der letzten Mode gesehen und fand die tief in die Stirn gezogenen Hüte der Frauen äußerst lächerlich.

Gegen vier Uhr morgens stellte ich fest, daß ich mich mit einer der beiden Ungarinnen in einem Zimmer des einzigen halbwegs erträglichen Rigaer Hotels befand und noch gerade genügend Geistesklarheit besaß, um mir zu sagen, daß ich eigentlich lieber die Jüdin hätte wählen sollen. Nehmen wir an, daß mein »konformistisches« Verhalten sich zu achtundneunzig Prozent durch den Wunsch erklärte, unter meinen Kameraden nicht aufzufallen, und daß die restlichen zwei Prozent Auflehnung gegen mich selber gerichtet waren, so scheint es mir, daß man sich nicht immer nur zur Tugend zwingen muß. Die Absichten eines Mannes sind ein so unentwirrbares Durcheinander, daß ich, zumal dies alles so weit zurückliegt, nicht mehr entscheiden kann, ob ich mich damals auf Umwegen Sophie nähern oder ob ich sie erniedrigen wollte, indem ich das, wie ich wußte, lauterste Verlangen der Welt auf die gleiche Stufe stellte mit jener halben Stunde, die ich auf einem zerwühlten Bett in den Armen der ersten besten Frau verbrachte. Ein Teil meines Widerwillens mußte sich notwendigerweise an Sophie auslassen; und vielleicht hatte ich es allmählich nötig, in meiner Geringschätzung bestärkt zu werden. Ich verhehle mir nicht, daß eine ziemlich schäbige Angst, an dem Mädchen hängenzubleiben, mich so vorsichtig machte. Ich habe eine entscheidende Bindung von jeher verabscheut, worauf es doch mit einer verliebten Frau immer hinausläuft. Jene Sängerin aus einem kleinen Budapester Café wollte wenigstens keine Rolle in meinem Leben spielen, obschon sie sich, wie ich gestehen muß, während jener vier Tage in Riga mit der Zähigkeit eines Polypen, an den sie mich durch ihre langen weiß behandschuhten Finger erinnerte, an mich hängte. In diesen ständig empfangsbereiten Herzen gibt es jederzeit einen freigehaltenen Platz unter einem rosigen Lampenschirm, den sie immer wieder mit verzweifeltem Eifer dem ersten besten Besucher anbieten. Ich verließ Riga mit dem Gefühl verdrossener Erleichterung darüber, daß ich mit diesen Leuten nichts gemein hatte – auch nicht mit jenen spärlichen Vergnügungen, die der Mensch zu seiner Zerstreuung erfunden hat. Zum erstenmal dachte ich an meine Zukunft und überlegte mir, ob ich nicht mit Konrad nach Kanada auswandern sollte, um gemeinsam am Rande eines der großen Seen auf einem Bauernhof zu leben, wobei ich ganz vergaß, daß ich auf diese Weise über verschiedene Hoffnungen meines Freundes einfach hinwegging.

Konrad und seine Schwester erwarteten mich auf der Treppe unter dem Glasdach, dessen Scheiben im letzten Sommer kurz und klein geschossen worden waren, so daß die Eise stangen wie die Rippen eines welken und zerzausten Blattes aussahen. Der Regen lief ungehindert durch, und Sophie hatte sich deshalb wie eine Bäuerin ein Taschentuch übers Haar gebunden. Beide hatten sich während meiner Abwesenheit alle Mühe gegeben, mich zu ersetzen. Konrads Gesicht war von einer perlmutterhaften Blässe; über meiner Besorgnis um seine anfällige Gesundheit vergaß ich an diesem Abend alles andere. Sophie hatte für uns eine der letzten, ganz hinten im Keller versteckten Flaschen französischen Weines heraufholen lassen. Meine Kameraden zogen ihre Regenmäntel aus, setzten sich zu Tisch und unterhielten sich lachend über ihre Rigaer Erlebnisse. Konrad hörte ihnen mit höflicher und belustigter Verwunderung zu. Er hatte mit mir ähnlich niederdrückende Abende erlebt, an denen man sich zu vergessen sucht; und eine Ungarin mehr oder weniger verwunderte ihn nicht weiter. Sophie biß sich auf die Lippen, als sie merkte, daß sie beim Füllen meines Glases ein wenig Burgunder vergossen hatte. Sie ging einen Schwamm holen und gab sich eine solche Mühe, den Fleck verschwinden zu lassen, als sei er der Zeuge eines Verbrechens.

Ich hatte Bücher aus Riga mitgebracht. Unter meinem aus einer Serviette gemachten Lampenschirm beobachtete ich Konrad, der neben mir in seinem Bett den Schlaf eines Kindes schlief, trotz der Schritte über uns, die von Tante Praskovia herrührten. Sie ging immer noch Tag und Nacht in ihrem Zimmer auf und ab und murmelte Gebete, denen sie unsere bisherige Rettung zuschrieb. Sah man Bruder und Schwester nebeneinander, so entsprach merkwürdigerweise Konrad am meisten der Vorstellung, die man sich von einem jungen Mädchen aus fürstlichem Hause macht. Sophies sonnenverbrannter Nacken und ihre rissigen Hände, mit denen sie den Schwamm ausdrückte, hatten mich plötzlich an den jungen Stallknecht Karl erinnert, der in unserer Kindheit unsere Ponys striegelte. Neben meiner eingefetteten, gepuderten und zurechtgemachten Ungarin erschien sie zugleich ungepflegt und unvergleichlich.

Die Reise nach Riga kränkte Sophie, ohne sie zu überraschen. Zum erstenmal hatte ich mich so benommen, wie sie es erwartete, was unser gutes Einvernehmen nicht beeinträchtigte, sondern eher noch steigerte. Eine so vage Beziehung wie die unsere ist übrigens fast immer unzerstörbar. Wir waren einander gegenüber von einer zügellosen Offenheit. Man darf dabei nicht vergessen, daß es damals Mode war, die rückhaltlose Ehrlichkeit höher zu schätzen als alles andere. Statt von Liebe zu sprechen, sprachen wir über Liebe und täuschten uns mit Worten über eine innere Unruhe hinweg, die ein anderer durch Taten beseitigt haben würde und der wir uns in unserer Lage nicht durch Flucht entziehen konnten. Sophie sprach ohne die geringste Hemmung von ihrem einzigen Liebeserlebnis, ohne jedoch zu erwähnen, daß es unfreiwillig gewesen war. Ich meinerseits verbarg ebenfalls nichts – außer dem Wesentlichen. Jenes kleine Mädchen mit den zusammengezogenen Brauen hörte sich meine Weibergeschichten mit einer beinahe grotesken Aufmerksamkeit an. Ich glaube, daß sie nur deswegen begann, sich Liebhaber zuzulegen, weil sie auf mich ebenso verführerisch wirken wollte, wie es ihrer Meinung nach gefallene Mädchen taten. Der Unterschied zwischen völliger Unschuld und völliger Erniedrigung ist so gering, daß sie sogleich bei ihrem ersten Versuch jenen Grad gewollter Niedrigkeit erreichte, durch den sie mich zu verführen dachte. Ich erlebte, wie sich vor meinen Augen eine Veränderung mit ihr vollzog, die weit erstaunlicher war als irgendeine Theaterszene und doch zugleich um keinen Grad weniger konventionell. Anfangs waren es rührende Kleinigkeiten, die ihrer Naivität entsprangen. Es gelang ihr, sich Puder zu besorgen, und sie entdeckte die Seidenstrümpfe. Ihre mit Schwarz untermalten, ohnedies schon dunkel umränderten Augen sowie ihre vorspringenden, geröteten Backen verleideten mir dieses Gesicht nicht mehr, als es die Narben meiner eigenen Schläge getan hätten. Die Jungens, und unter ihnen vor allem Franz von Aland, versuchten diesen großen Schmetterling einzufangen, der vor ihren Augen von einer unbegreiflichen inneren Flamme verzehrt wurde. Ich selber fand Sophie verführerischer, seit sie auch anderen gefiel. Meine Zurückhaltung erklärte ich mir irrtümlicherweise aus einer übertriebenen Gewissenhaftigkeit und bedauerte, daß Sophie ausgerechnet die Schwester des einzigen Menschen war, an den ich mich durch eine Art Pakt gebunden fühlte. Dennoch hätte ich sie wohl kaum beachtet, wenn ich nicht gespürt hätte, daß es ihr im Grunde nur um mich ging.

Der Instinkt der Frauen ist so beschränkt, daß man leicht für sie den Astrologen spielen kann. Dieses Mädchen, das ein mißglückter Junge war, folgte den ausgetretenen Spuren der tragischen Heroinen: sie betäubte sich, um zu vergessen. Die Plaudereien, das Lächeln, das wilde Tanzen zu den Melodien eines quietschenden Grammophons, die gefährlichen Spaziergänge dicht hinter der Feuerlinie – alles begann aufs neue; und die Jungens wußten es besser auszunutzen als ich. Franz von Aland zog als erster seinen Vorteil aus dieser Phase, die bei verliebten und unbefriedigten Frauen ebenso unvermeidlich eintritt wie die Schüttelperiode bei Paralytikern. Er war in Sophie fast ebenso sklavisch verliebt wie sie in mich und war mit Freuden einverstanden, als Notbehelf verbraucht zu werden, was nebenbei seine kühnsten Erwartungen übertraf. War Franz mit mir allein, so schien es ständig, als überlege er sich im voraus die faden Entschuldigungen eines Schützen, der auf fremdes Jagdgebiet geraten ist. Offenbar rächte Sophie sich an ihm, an mir und an sich selber, indem sie ihm unermüdlich von unserer Liebe erzählte. Franzens bestürzte Unterwürfigkeit war nicht gerade dazu angetan, mich mit der Vorstellung eines durch die Frau vermittelten Glücks zu versöhnen. Ich denke immer noch mit einer Art Mitleid an den Ausdruck hündischer Ergebenheit, mit dem er die kleinsten Willfährigkeiten einer höhnischen, unglücklichen und deshalb zugänglichen Sophie quittierte. Dieser gutmütige Junge hatte in seinem kurzen Dasein jedes erdenkliche Pech gehabt. Er wurde von der Schule gejagt wegen eines Diebstahls, den er nicht begangen hatte; seine Eltern wurden 1917 von Bolschewiken ermordet; eine schwere Blinddarmoperation kostete ihm beinahe

das Leben, und wenige Wochen später wurde er gefangen-
genommen. Sein verstümmelter Leichnam zeigte eine tiefe
schwarze Brandwunde. Sie rührte von dem langen Docht
eines Wachsstockes her, den man dem Opfer um den Hals
gewunden und angezündet hatte. Ich brachte Sophie die
Nachricht so schonend wie nur möglich bei und sah nicht
ohne Genugtuung, daß sie das entsetzliche Geschehen zu
anderen, ähnlich schrecklichen Erlebnissen hinzutat, ohne
darüber Schmerz zu empfinden.

Sie suchte noch weitere Abenteuer, die alle dem gleichen
Zwang entsprachen, jenen unerträglichen Liebesmonolog
in ihrem Innern zum Schweigen zu bringen. Alle nahmen
nach ein paar hilflosen Umarmungen ein beschämendes
Ende. Unter jenen flüchtigen Erscheinungen war ein gewis-
ser russischer Offizier mir am widerwärtigsten. Er war aus
einem bolschewistischen Gefängnis entkommen und hatte
sich eine Woche bei uns aufgehalten, bevor er zu einer my-
steriösen und aussichtslosen Mission zu einem der russischen
Großfürsten nach Schweden aufbrach. Ich hatte schon am
ersten Abend die unwahrscheinlichen und lüsternen, bis ins
einzelne beschriebenen Weiberaffären dieses Trunkenbol-
des mitangehört und konnte mir nur zu gut vorstellen, was
sich auf dem Ledersofa im Gärtnerhaus zwischen Sophie
und ihm abspielte. Ich hätte fortan die Gegenwart des jungen Mädchens nicht ertragen können, wenn ich auch nur ein
einziges Mal auf ihrem Gesicht so etwas wie einen Ausdruck
des Glücks gesehen hätte. Sie gestand mir alles. Ihre Hände
berührten mich immer noch mit kleinen verzagten Bewegungen, die eher wie das Tasten eines Blinden als wie Zärtlichkeiten auf mich wirkten, und jeden Morgen sah ich eine Frau
vor mir, die verzweifelt war, weil der Mann, den sie liebte,
nicht derjenige war, mit dem sie schlief.

Eines Abends, etwa einen Monat nach meiner Rückkehr aus
Riga, arbeitete ich im Turm mit Konrad, der sich alle Mühe gab, eine lange deutsche Pfeife zu rauchen. Ich war gerade aus dem Dorf zurückgekehrt, wo unsere Leute versuchten,

die verschlammten Gräben, so gut es ging, mit Knüppelholz abzustützen. Es war eine jener ruhigen Nächte, wo die Feindseligkeiten auf beiden Seiten wegen undurchdringlichen Nebels eingestellt wurden. Meine nasse Jacke dampfte über dem Ofen, den Konrad mit jammervoll feuchtem Kleinholz heizte, indem er jedes einzelne Scheit mit einem Seufzer ins Feuer legte, als gelte es, eine alte Parktanne zu opfern; da trat der Sergeant Chopin ins Zimmer, um mir eine Meldung zu übergeben. Noch in der Tür stehend, gab er mir über Konrads gesenkten Kopf hinweg mit seinem roten und beunruhigten Gesicht ein Zeichen, worauf ich mit ihm auf den Flur hinausging. Dieser Chopin, ein Bankangestellter aus Warschau, war der Sohn eines polnischen Intendanten, der in den Diensten des Grafen Reval stand. Er hatte eine Frau, zwei Kinder, gesunden Menschenverstand und eine zärtliche Anhänglichkeit für Konrad und seine Schwester, die ihn beide wie ihren Milchbruder behandelten. Gleich zu Beginn der Revolution war er nach Kratovice gekommen, wo er seitdem als ein Ehrenmann seinen Dienst tat. Er flüsterte mir zu, er habe, als er durch die Kellerräume gegangen sei, dort Sophie gefunden, die völlig betrunken an dem großen Anrichtetisch der um diese Zeit immer leeren Küche sitze; es sei ihm trotz seiner dringlichen und sicher ungeschickten Bitte nicht gelungen, das junge Mädchen dazu zu bringen, in ihr Zimmer hinaufzugehen. »Wie wird sie sich morgen schämen«, sagte er zu mir, »wenn jemand sie in diesem Zustand sehen würde ...«

Der gute Kerl glaubte noch an Sophies Schamgefühl; und merkwürdigerweise irrte er sich nicht. Ich ging die Wendeltreppe hinunter und versuchte das Knarren meiner schlecht geschmierten Stiefel nach Möglichkeit zu unterdrücken. In jener friedlichen Nacht war in Kratovice niemand wach. Aus dem großen Saal im ersten Stock, wo dreißig völlig erschöpfte Leute wie ein Mann schliefen, drang vielstimmiges Schnarchen. Sophie saß an dem großen weißen Holztisch in der Küche. Sie schaukelte langsam auf einem wackeligen Stuhl hin und her, so daß dessen Lehne mit dem Fußboden einen beängstigend schrägen Winkel bildete. Ihre ausgestreckten Beine in karamelfarbenen Seidenstrümpfen gehörten eher einem jungen Gott als einer jungen Göttin. Eine fast leere Kognakflasche schwankte am Ende ihres linken Armes gefährlich hin und her. Sie war unsagbar betrunken, und ihr Gesicht zeigte im Widerschein des Herdes lauter rote Flecken. Ich legte ihr die Hand auf die Schulter, ohne daß meine Berührung in ihr, wie sonst, jenes schreckliche und hinreißende Erzittern eines verwundeten Vogels auslöste; der Kognakrausch machte sie unverwundbar. Sie drehte sich mit leerem Blick nach mir um und sagte mit einer Stimme, die ebenso verschleiert war wie ihre Augen:

»Geh, Erich, und sag Texas guten Abend. Er liegt in der Speisekammer.«

Ich knipste mein Feuerzeug an und begab mich zu jenem Verschlag, wo man über zusammenstürzende Haufen keimender Karoffeln stolperte. Das armselige Hündchen lag ausgestreckt unter dem Verdeck eines alten Kinderwagens. Später erfuhr ich, daß er von einem im Park explodierten Blindgänger getötet worden war, den er mit seiner kleinen schwarzen Schnauze wie eine Trüffel hatte ausgraben wollen. Sein zerfetzter Leichnam erinnerte mich an einen unter die Straßenbahn geratenen Mops. Ich hob das abstoßende Paket vorsichtig auf, nahm eine Hacke und ging in den Hof, um ein Loch zu graben. Der Boden war durch den Regen oberflächlich aufgetaut. Ich begrub Texas in diesem Schlamm, in dem er sich, als er noch lebte, mit so sichtlichem Vergnügen zu wälzen pflegte. Als ich in die Küche zurückkam, hatte Sophie gerade den letzten Tropfen Kognak ausgetrunken. Sie warf die Flasche in die glimmende Herdasche, wo das Glas mit dumpfem Klirren zerbrach. Dann erhob sie sich schwerfällig und sagte, während sie sich auf meine Schulter stützte, mit verschlafener Stimme:

»Der arme Texas ... Schade um ihn. Er war der einzige, der mich liebte ...«

Ihr Atem roch nach Alkohol. Auf der Treppe versagten ihr die Beine. Ich griff ihr unter die Arme und steuerte sie nach oben, während sie sich mehrmals erbrach. Ich hatte das Gefühl, eine seekranke Reisende in ihre Kabine zu geleiten. In ihrem kleinen unordentlichen Zimmer ließ sie sich in einen Sessel fallen, während ich ihr Bett zurechtmachte. Ihre Hände und Beine waren eiskalt. Ich häufte alle vorhandenen Decken und einen Mantel auf sie. Auf ihren Ellbogen gestützt, erbrach sie sich weiter, ohne es zu merken. Ihr Mund blieb offen wie der Mund einer Brunnenfigur. Endlich streckte sie sich in der Höhlung des Bettes aus: matt, platt und feucht wie eine Leiche. Ihre Haare klebten an ihren Wangen und zogen sich wie blonde Narben über ihr Gesicht. Ihr Puls unter meinen Fingern schlug sinnlos rasch und zugleich fast unmerklich. Sie mußte wohl zutiefst in ihrem Innern das klare Bewußtsein ihrer Trunkenheit und eine schwindelerregende Angst haben; denn sie erzählte mir später, daß sie die ganze Nacht hindurch in einem russischen Schlitten zu fahren und die Stöße, die Kälte, das Pfeifen des Windes, das Pochen der Adern zu empfinden glaubte, während sie regungslos einem Abgrund entgegenraste, vor dem sie sich nicht einmal mehr fürchtete. Ich kenne jenes Gefühl tödlicher Schnelligkeit; es ist die Wirkung des Alkohols auf ein versagendes Herz. Sophie hat immer geglaubt, jene an ihrem unsauberen Bett verbrachte Samariternacht sei für mich eine der empörendsten Erinnerungen meines Lebens geblieben. Ich hätte ihr nie erklären können, daß jene Blässe, jene Flecken, jene Gefahr und Hingabe, vollkommener als in der Liebe, schön und rührend waren und daß jener reglose ausgestreckte Körper mich an gewisse Kameraden, die ich in dem gleichen Zustand gepflegt hatte, und an Konrad selbst erinnerte ... Ich vergaß zu erwähnen, daß ich, als ich sie von ihren Kleidern befreite, neben ihrer linken Brust die lange Narbe eines Messerstichs bemerkte, der ziemlich tief ins Fleisch gedrungen sein mußte. Später gestand sie mir, daß sie einen ungeschickten Selbstmordversuch gemacht habe. War das zu meiner Zeit gewesen oder zur Zeit des litauischen Satyrs? Ich habe es nie erfahren können.

Der Sergeant Chopin hatte sich nicht getäuscht. Sophie war nach jenem Zwischenfall verwirrt wie eine Internatsschülerin, die auf einer Hochzeit zuviel Champagner getrunken hat. Ein paar Tage lang genoß ich den Umgang mit einer wehmütig nachdenklichen Freundin, die mir mit jedem

Blick zu danken oder mich um Verzeihung zu bitten schien. Wir hatten ein paar Typhusfälle in den Baracken. Sie wollte sie unbedingt pflegen. Weder ich noch Konrad konnten sie davon abbringen. Schließlich ließ ich dieser Wahnsinnigen, die anscheinend entschlossen war, vor meinen Augen zu sterben, ihren Willen. Noch keine Woche darauf legte sie sich ins Bett; wir glaubten, sie habe sich angesteckt. Sie war aber nur erschöpft und entmutigt durch eine Liebe, die ständig andere Formen annahm, wie eine nervöse Erkrankung jeden Tag neue Symptome zeigt. Sie litt gleichzeitig an Liebesmangel wie an Liebesüberschwang. Jetzt war die Reihe an mir, jeden Morgen bei Sonnenaufgang in ihr Zimmer zu treten. Ganz Kratovice hielt uns für Verliebte, was ihr, wie ich vermute, schmeichelte und mir selber nicht unwillkommen war. Ich erkundigte mich mit der teilnahmsvollen Besorgnis eines Hausarztes nach ihrem Befinden, setzte mich zu ihr ans Bett und war von einer lächerlichen Brüderlichkeit. Hätte ich Sophie durch meine Zärtlichkeit noch tiefer verwunden wollen, so hätte der Erfolg nicht größer sein können. Mit hochgezogenen Knien unter der Decke, das Kinn in die Hände gestützt, sah sie mich mit riesengroßen, erstaunten und ständig tränennassen Augen an. Die Zeiten, da Sophie jene Rücksicht, jene Zärtlichkeit, jene Liebkosungen einer über ihr Haar hinstreichelnden Hand mit gutem Gewissen genossen hätte, waren dahin. Die Erinnerungen an die Liebesabenteuer der letzten Monate erweckten in ihr das unwiderstehliche Verlangen aller unglücklichen Menschen, die sich nicht mehr ertragen können: vor sich selber zu fliehen – einerlei, wohin. Sie versuchte, wie eine Sterbenskranke ihr Bett zu verlassen. Ich zwang sie, sich wieder hinzulegen, und stopfte sie fest mit jenen zerknitterten Bettüchern, in denen sie sich, sobald ich fort war, verzweifelt umherwälzte. Wenn ich achselzuckend erklärte, daß jene körperlichen Spielereien völlig bedeutungslos seien, so brachte ich unter dem Vorwand, ihr Gewissen zu beruhigen, ihrer Eitelkeit die grausamste Wunde bei und verletzte in ihr zugleich ein noch tieferes, noch wesentlicheres Gefühl: jene heimliche Ehrfurcht, die ein Körper vor sich selbst empfindet. In Zusammenhang mit jener neuen Milde erschienen meine Härten, meine Weigerungen und selbst mein Lächeln ihr jetzt als eine Probe, deren Bedeutung sie nicht begriffen und die sie nicht verstanden hatte. Wie ein erschöpfter Schwimmer sah sie sich, zwei Armlängen vom Ufer entfernt, in dem Augenblick untersinken, da ich vielleicht begonnen hätte, sie zu lieben. Hätte ich sie jetzt genommen, so würde sie in der Erinnerung daran, daß sie vorher nicht den Mut gehabt hatte, auf mich zu warten, vor Entsetzen geweint haben. Sie litt sämtliche Qualen einer Ehebrecherin, die man durch Güte bestraft, und diese Verzweiflung wurde noch qualvoller, wenn Sophie in den seltenen Augenblicken klarer Bewußtheit sich selber sagte, daß sie schließlich keinerlei Grund habe, ihren Körper für mich zu bewahren. Trotzdem fesselten Zorn, Widerwillen, Mitleid, Ironie, ein vages Bedauern auf meiner Seite und ein beginnender Haß auf ihrer Seite uns in all ihrer Widersprüchlichkeit wie zwei Liebende oder zwei Tänzer aneinander. Jenes so ersehnte Band bestand wirklich zwischen uns, und meine Sophie hat sicherlich am meisten darunter gelitten, daß sie es zugleich als so erdrückend und so ungreifbar empfand.

Eines Nachts (denn meine Erinnerungen an Sophie sind fast alle nächtlich, ausgenommen die letzte, die die blasse Farbe der Morgenfrühe hat) – eines Nachts also, während eines Luftangriffs bemerkte ich, daß sich auf Sophies Balkon ein erleuchtetes Viereck gegen die Dunkelheit abzeichnete. Diese Art des Angriffs war bisher in unserem Sumpfvogelkrieg selten gewesen; es war das erste Mal, daß der Tod in Kratovice vom Himmel fiel. Es war unverzeihlich, daß Sophie die Gefahr nicht nur auf sich selber, sondern auch auf die Ihrigen und uns alle herabbeschwor. Sie wohnte im rechten Flügel des zweiten Stocks; ihre Tür war geschlossen, aber nicht verriegelt. Sie saß am Tisch im Lichtschein einer großen Petroleumlampe. Die offene Fenstertür umrahmte die helle Landschaft einer eisigen Nacht. Meine Anstrengungen, die durch die letzten Herbstregenfälle gequollenen Fensterläden zu schließen, riefen in mir die Kindheitserinnerung an hastig verbarrikadierte Hotelfenster wach, wenn in der Sommerfrische im Gebirge ein abendliches Gewitter aufzog. Sophie sah mir mit einem traurigen Schmollen zu. Endlich sagte sie:

»Würde es Sie stören, Erich, wenn ich stürbe?« Ich haßte diese zärtlich heisere Stimme, die sie sich angewöhnt hatte, seit sie sich mit Männern abgab. Das Krachen einer Bombe ersparte mir eine Antwort. Sie war im Osten in der Nähe des Teiches niedergegangen. Am nächsten Tag erfuhr ich, daß sie auf die Uferböschung gefallen war. Abgerissenes Röhricht schwamm einige Tage zwischen den weißen Bäuchen der toten Fische und den Trümmern eines Kanus auf dem Teich herum.

»Ja«, sagte sie langsam, im Ton eines Menschen, der sich über etwas klarzuwerden versucht, »ich habe Angst; was mich wundert, denn eigentlich sollte es mir doch nichts ausmachen, nicht wahr?«

»Ganz wie Sie wollen, Sophie«, antwortete ich gereizt; »aber die unglückliche alte Frau wohnt in einem Zimmer, das gleich neben Ihrem Zimmer liegt. Und Konrad ...«

»O Konrad«, sagte sie mit einem unendlich müden Tonfall und stand auf, indem sie sich mit beiden Händen auf den Tisch stütze wie eine Kranke, die Angst hat, ihren Sessel zu verlassen. Ihre Stimme verriet eine solche Gleichgültigkeit gegenüber dem Schicksal ihres Bruders, daß ich mich unwillkürlich fragte, ob sie begonnen habe, ihn zu hassen. Sie hatte aber lediglich jenen Grad von Dumpfheit erreicht, da einen nichts mehr interessiert. Sie hatte zur gleichen Zeit aufgehört, sich um ihre Angehörigen zu sorgen, wie Lenin zu bewundern.

»Oft denke ich«, sagte sie und trat zu mir, »daß es nicht recht ist, keine Angst zu haben. Wäre ich aber glücklich«, fuhr sie fort und fand ihre frühere rauhe und doch sanfte Stimme wieder, die mich jedesmal wie die dunklen Töne eines Cello rührte, »– wäre ich glücklich, so würde es mir, glaube ich, nichts ausmachen, zu sterben. Fünf glückliche Minuten wären für mich wie ein Zeichen von Gott. Sind Sie denn glücklich, Erich?«

»Ja, ich bin glücklich«, sagte ich gegen meinen Willen, denn ich merkte plötzlich, wie töricht ich log.

»Ansehen tut man es Ihnen aber nicht«, erwiderte sie in dem neckenden Ton eines kleinen Schulmädchens. »Und weil Sie glücklich sind, macht es Ihnen nichts aus, zu sterben?«

Mit ihrem gestopften schwarzen Schal über dem Flanellhemd sah sie aus wie ein kleines verschlafenes Kindermädchen, das man um Mitternacht aus dem Bett geklingelt hat. Ich werde nie wissen, weshalb ich ebenso lächerlicher- wie unverantwortlicherweise das Fenster wieder öffnete. Die zu Konrads Kummer gefällten Bäume hatten eine breite Lichtung geschaffen, so daß man bis zum Fluß hinuntersehen konnte, wo, wie in jeder Nacht, vereinzelte sinnlose Gewehrschüsse einander antworteten. Das feindliche Flugzeug kreiste noch immer an dem grünlichen Himmel wie eine riesige Wespe in einem riesigen Zimmer und erfüllte die Stille mit seinem gräßlichen Motorengebrumm. Ich trat wie ein Liebender in einer Mondnacht mit Sophie auf den Balkon und beobachtete mit ihr das Schwanken des Lichtkegels, den die Lampe auf den Schnee malte. Es mußte ziemlich windstill sein, denn der Lichtschein bewegte sich kaum. Ich hatte den Arm um Sophies Hüfte gelegt und hörte ihr Herz klopfen – das arme, überanstrengte Herz, das plötzlich langsamer und dann wieder schneller und mutiger schlug. Dabei hatte ich, soweit ich mich erinnern kann, nur den einen Gedanken: daß ich, falls wir in dieser Nacht sterben sollten, immerhin für dieses Schicksal meinen Platz an ihrer Seite gewählt hatte. Plötzlich ertönte dicht neben uns ein gewaltiges Krachen. Sophie hielt sich die Ohren zu, als sei dieser Lärm noch schlimmer als der Tod. Die Bombe war nur einen Steinwurf weit von ans auf das Wellblechdach des Stalles gefallen. Zwei unserer Pferde mußten in dieser Nacht für unseren Leichtsinn mit dem Tode zahlen. In der nun folgenden unheimlichen Stille hörten wir noch das stückweise Zusammenstürzen einer Ziegelmauer und das grauenvolle Wiehern eines sterbenden Pferdes. Das Fenster hinter uns war in Scherben zersprungen, die unter unseren Schritten krachten, als wir ins Zimmer zurückgingen. Ich löschte die Lampe so behutsam aus, wie man sie sonst nach den Freuden der Liebe wieder anzündet.

Sophie folgte mir auf den Korridor, wo vor einem von Tante Praskovias Heiligenbildern ein harmloses Nachtlicht ruhig weiterbrannte. Sophie atmete hastig; ihr Gesicht war von einer leuchtenden Blässe, was mir bewies, daß sie mich verstanden hatte. Ich habe zusammen mit Sophie noch tragischere Augenblicke erlebt, aber nie wieder einen so feierlichen, da wir so nahe daran waren, Schwüre auszutauschen. Das war ihre Stunde in meinem Leben. Sie hob ihre Hände hoch, an denen der Rost des Balkongitters haftete, auf das wir uns eine Minute vorher beide gestützt hatten; dann warf sie sich, als wäre sie plötzlich verwundet worden, an meine Brust.

Sie hatte zu dieser Geste fast zehn Wochen gebraucht. Daß ich sie annahm, erstaunte mich mehr als alles andere. Jetzt, da sie tot ist und ich nicht mehr an Wunder glaube, ist es mir eine Genugtuung, wenigstens einmal diesen Mund und dieses harte Haar geküßt zu haben. Diese Frau war wie ein großes Land, das ich erobert, aber nie betreten habe. Immerhin erinnere ich mich aufs genaueste an die feuchte Wärme ihres Mundes und an den lebendigen Geruch ihrer Haut. Und wenn ich jemals Sophie in aller Einfalt des Herzens und der Sinne habe lieben können, so war es in jener Minute, da wir uns mit der Unschuld auferstandener Seelen umfaßt hielten. Sie zitterte in meinen Armen. Kein früheres Erlebnis mit einer Prostituierten oder einer sonstigen Zufallsbekanntschaft hatte mich vorbereitet auf diese heftige, diese furchtbare Zärtlichkeit. Dieser in seiner Lust aufgelöste und zugleich erstarrte Körper lastete mit geheimnisvoller Schwere auf meinen Armen, wie die Erde auf mir gelastet hätte, wenn ich vor ein paar Stunden in den Tod gegangen wäre. Ich weiß nicht, in welchem Augenblick das Entzücken in Entsetzen umschlug und bei mir die Erinnerung an jenen Seestern auslöste, den meine Mutter mir als Kind am Strand von Scheveningen gewaltsam in die Hand gedrückt hatte, worauf ich zum größten Schrecken

47

der Badenden in Krämpfe verfiel. Ich riß mich von Sophie los mit einer Roheit, die ihr in seinem Glück so wehrloser Körper als qualvoll grausam empfinden mußte. Sie schlug die schweren Augenlider auf und las in meinen Zügen etwas, das ihr offenbar noch unerträglicher war als Haß oder Schrecken, denn sie bedeckte ihr Gesicht mit ihrem erhobenen Arm wie ein geohrfeigtes Kind. Zum letzten Mal sah ich sie vor mir weinen. Noch zweimal, ehe alles vorbei war, bin ich ohne Zeugen mit Sophie zusammengekommen. Aber von diesem Abend an war alles so, als sei einer von uns beiden bereits tot. Ich hatte jedes Gefühl für sie und sie das Vertrauen zu mir verloren, das sie mir früher, weil sie mich liebte, entgegengebracht hatte.

Was sich noch am ehesten mit den eintönigen Phasen einer Liebe vergleichen läßt, das sind die unermüdlichen und erhabenen Wiederholungen der Beethovenschen Quartette. Während der düsteren Wochen der Adventszeit – und Tante Praskovia, die die Zahl ihrer Fastentage erhöhte, ließ uns keinen Feiertag des Kirchenkalenders vergessen – ging das Leben bei uns mit seinem üblichen Anteil an Elend, Aufregungen und Katastrophen weiter. Ich erlebte oder erfuhr den Tod einiger meiner wenigen Freunde. Konrad wurde leicht verwundet. Von dem dreimal eroberten und zurückeroberten Dorf waren nur ein paar Mauerfetzen übriggeblieben, die unter dem Schnee zerfielen. Sophie war ruhig, entschlossen, hilfsbereit und eigensinnig. Damals schlug Volkmar mit den Resten eines Regiments, das von Wirtz schickte, sein Winterquartier im Schloß auf. Seit Franz von Alands Tod war unser kleines deutsches Hilfskorps tagtäglich mehr und mehr zusammengeschmolzen und schließlich durch ein Gemisch von Balten und Weißrussen ersetzt worden. Ich kannte diesen Volkmar und haßte ihn schon mit fünfzehn Jahren, als man uns regelmäßig dreimal wöchentlich während der Wintermonate in Riga zu einem Mathematikprofessor schickte. Er ähnelte mir wie eine Karikatur ihrem Vorbild. Er war korrekt, trocken, ehrgeizig und eigennützig und gehörte zu jener Sorte Menschen, die zugleich dumm und erfolgreich sind, weil sie jede neue Tatsache nur soweit in Betracht ziehen, als sie ihnen nützen kann, und weil sie ihre Berechnungen auf die immer gleichen Grundgesetze des Lebens stützen. Ohne den Krieg wäre Sophie unerreichbar für ihn gewesen. Er stürzte sich auf diese Gelegenheit. Ich wußte bereits, welchen halb operettenhaften, halb tragischen Einfluß eine einzelne Frau in einer vollbelegten Kaserne auf die Männer gewinnt. Uns hatte man für Liebende gehalten, was ganz einfach falsch war; nach kaum vierzehn Tagen galten die beiden für verlobt. Ich hatte, ohne zu leiden, die Abenteuer einer halb schlafwandelnden Sophie mit verschiedenen Burschen ertragen, die ihr lediglich und nur sehr unvollkommen gewisse Augenblicke des Vergessens verschafften. Ihr Verhältnis mit Volkmar beunruhigte mich, weil sie es vor mir verbarg. Sie heuchelte nicht, sondern verweigerte mir einfach das Recht, an ihrem Leben teilzunehmen. Dabei war ich ihr gegenüber jetzt zweifellos weniger schuldig, als ich es zu Beginn unserer Freundschaft gewesen war; aber man wird stets zur Unzeit bestraft. Trotzdem war Sophie so großmütig, mich auch weiterhin mit liebevoller Rücksicht zu behandeln – vielleicht auch deshalb, weil sie begann, sich ihr Urteil über mich zu bilden. Ich täuschte mich offenbar ebensosehr über das Ende wie seinerzeit über den Anfang dieser Liebe. Bisweilen glaube ich auch heute noch, daß sie mich bis zu ihrem letzten Atemzug geliebt hat. Aber ich mißtraue einer Ansicht, die so eindeutig meiner Eigenliebe schmeichelt. Sophie war im Grunde seelisch gesund genug, um sich von jeder erotischen Niederlage zu erholen. Gelegentlich stelle ich sie mir vor als Volkmars Gattin und Herrin des Hauses, umringt von Kindern und die behäbigen Formen einer Vierzigjährigen in ein rosiges Gummikorsett gepreßt. Die Tatsache, daß meine Sophie in der düstern Atmosphäre, die nun einmal zu unserer Liebe gehörte, gestorben ist, behindert jedoch diese Vision. In diesem Sinne habe ich den Eindruck, daß ich, wie man damals zu sagen pflegte, den Krieg gewonnen habe. Oder sagen wir einfach und weniger brutal, daß meine Folgerungen richtiger waren als Volkmars Berechnungen und daß in der Tat zwischen Sophie und mir eine Art Wahlverwandtschaft bestanden hat. In jener Weihnachtswoche aber hatte Volkmar alle Chancen für sich.

Hin und wieder klopfte ich noch nachts an Sophies Tür, um mich durch die Feststellung, daß sie nicht allein war, vor mir selbst zu erniedrigen. Früher, nämlich noch vor einem Monat, hätte unter den gleichen Umständen Sophies gekünsteltes und herausforderndes Lachen mich fast genauso beruhigt, wie es ihre Tränen getan hätten. Aber man öffnete die Tür. Die eisige Förmlichkeit der Szene bildete einen peinlichen Gegensatz zu der früheren Unordnung, den herumliegenden Wäschestücken und Likörflaschen; und Volkmar bot mir mit einer steifen Geste sein Zigarettenetui an. Was ich am wenigsten vertrage, ist geschont zu werden. Ich machte kehrt und malte mir das Geflüster und die fade Küsserei aus, die hinter meinem Rücken aufs neue begann. Sie sprachen auch von mir; davon war ich fest überzeugt. Es bestand zwischen Volkmar und mir ein so inniger Haß, daß ich mich manchmal frage, ob er seine Augen damals nicht nur deshalb auf Sophie geworfen hat, weil ganz Kratovice uns stets zusammen nannte. Ich muß an jener Frau wohl doch leidenschaftlicher gehangen haben, als ich selber wusste; sonst würde es mir nicht so schwerfallen, zuzugeben, daß jener Dummkopf sie geliebt hat.

Ich habe nie wieder einen so heiteren Weihnachtsabend erlebt wie damals im Kratovice jenes Kriegswinters. Da Konrads und Sophies lächerliche Festvorbereitungen mich ärgerten, hatte ich mich zurückgezogen mit der Begründung, ich müsse einen Bericht abfassen. Gegen Mitternacht lockten die Neugier, der Hunger, das laute Lachen und die etwas heisere Musik einer meiner Lieblingsplatten mich in den Salon, wo sich die tanzenden Paare im Licht des Kaminfeuers und zweier Dutzend mehr oder minder beschädigter Lampen im Kreise drehten. Wieder einmal hatte ich den Eindruck, von der Fröhlichkeit der anderen ausgeschlossen zu sein – und zwar freiwillig, was die Bitterkeit der Tatsache nicht verminderte. Ein Abendessen aus Schinken, Kartoffeln und Whisky war auf einer der reichvergoldeten Konsolen vorbereitet worden. Sophie hatte selber das Brot gebacken. Die mächtigen Schultern des Arztes Paul Rugen verdeckten mir das halbe Zimmer. Der riesige Mann hielt einen Teller auf den Knien und verschlang gierig seinen Anteil am Festessen, da er es wie immer eilig hatte, zu seinem Krankenhaus zurückzukehren, das man in der alten Wagenhalle des Prinzen Peter eingerichtet hatte. Ich würde Sophie verziehen haben, wenn sie ihm und nicht Volkmar zugelächelt hätte. Chopin, der eine Vorliebe für einsame Gesellschaftsspiele hatte, mühte sich ab, in einer Flasche ein Schiff aus abgebrannten Streichhölzern zu konstruieren. Konrad hatte sich mit seiner üblichen Ungeschicklichkeit beim Versuch, den Schinken möglichst dünn zu schneiden, in den Finger geschnitten. Er hatte sich ein Taschentuch um den Finger gewickelt und benützte sehr geschickt die Silhouette dieses Verbandes, um mit seinen Händen überraschende Schattenspiele an der Wand aufzuführen. Er war blaß und hinkte immer noch von seiner kürzlich erhaltenen Verwundung. Von Zeit zu Zeit unterbrach er das Spiel, um eine neue Grammophonplatte aufzulegen.

La Paloma war durch die näselnden Töne eines modernen Schlagers abgelöst worden. Sophie wechselte bei jedem Tanz ihren Partner. Tanzen verstand sie immer noch am besten. Sie wirbelte umher wie eine Flamme, wiegte sich wie eine Blume und glitt dahin wie ein Schwan. Sie trug ein nach der Mode von 1914 gearbeitetes Kleid aus blauem Tüll – das einzige Ballkleid, das sie je besessen und, soviel ich weiß, nur zweimal in ihrem Leben getragen hat. Dies altmodische und zugleich neue Kostüm genügte, um unsere gewohnte Kameradin mit einem Schlag zur Heldin eines Romans zu machen. Eine Fülle junger, in blauen Tüll gekleideter Mädchen, in den Spiegeln sichtbar, waren die einzigen Gäste unseres Festes; die Jungens, die übrig blieben, waren gezwungen, miteinander zu tanzen. Am Morgen war Konrad trotz seines kranken Beines in die Krone einer Eiche geklettert, um einen Mistelzweig herunterzuholen. Über diese jungenhafte Unvorsichtigkeit gerieten wir zum erstenmal miteinander in Streit. Wir haben uns nur zweimal in unserem Leben gestritten. Volkmar hatte die Idee gehabt, den Mistelzweig zu holen. Jetzt hing der grüne Zweig an dem düsteren Lüster, der seit den Weihnachtsfesten unserer Kindheit nicht mehr angezündet worden war; und die jungen Leute nahmen ihn zum Vorwand, ihre Tänzerin zu küssen. Jeder von ihnen drückte – einer nach dem anderen – seine Lippen auf die Lippen einer abwechselnd hochmütigen, belustigten, herablassenden, gutmütigen oder zärtlichen Sophie. Als ich in den Salon trat, war die Reihe gerade an Volkmar. Sophie wechselte mit ihm einen Kuß, der, wie ich nur zu gut wußte, nicht Liebe, wohl aber Heiterkeit, Vertrauen und gutes Einvernehmen bedeutete. Auf Konrads Ausruf: »Da bist du endlich. Wir haben alle auf dich gewartet«, wandte Sophie sich nach mir um. Ich stand abseits vom Licht im Rahmen einer der Türen des Musiksalons. Sophie war kurzsichtig. Sie erkannte mich aber, denn sie kniff ihre Augen zusammen. Sie legte ihre Hände auf jene verhaßten Epauletten, die die Roten gelegentlich den gefangenen Offizieren der Weißen ins Fleisch nagelten; und dann gab sie Volkmar einen zweiten Kuß, der mir den Krieg erklärte. Ihr Partner neigte sein gerührtes und zugleich erhitztes Gesicht über sie. Wenn dies der Ausdruck der Liebe ist, dann hätten die Frauen allen Grund, uns zu fliehen; und ich weiß nur zu gut, weswegen ich ihnen mißtraue. Mit ihren nackten Schultern, ihrem blauen Kleid und den kurzen, von der Brennschere leicht angesengten Haaren, die sie immerfort zurückwarf, hielt Sophie diesem Grobian die Lippen hin – verlockender und verlogener als nur je eine Filmschauspielerm, die noch mit den geschlossenen Augen der Lust nach der Kamera schielt. Das war zuviel. Ich packte ihren Arm und ohrfeigte sie. Der Schock und die Überraschung waren so groß, daß sie zurückwich, sich um sich selber drehte, mit dem Fuß gegen einen Stuhl stieß und hinfiel. Ihre Nase fing an zu bluten, was die Lächerlichkeit des Auftritts noch erhöhte.

Volkmar war so verdutzt, daß er einige Zeit brauchte, ehe er sich auf mich stürzte. Rugen warf sich zwischen uns. Er zwang mich sogar, wenn ich mich recht entsinne, gewaltsam in einen Sessel, und das Fest hätte um ein Haar mit einem Boxkampf geendet. In dem allgemeinen Tumult verlangte Volkmar schreiend, ich solle mich entschuldigen. Zum Glück hielt man uns für betrunken, und der Streit wurde beigelegt. Wir hatten am nächsten Tag einen gefährlichen Auftrag durchzuführen, und außerdem prügelt man sich nicht am Weihnachtsabend mit einem Kameraden, und schon gar nicht wegen einer Frau, die einem gleichgültig ist. Man überredete mich, Volkmar die Hand zu drücken. Eigentlich war ich nur auf mich selber wütend. Sophie war in einer Wolke knisternden Tülls hinausgerauscht. Als ich sie von ihrem Tänzer wegzerrte, hatte ich das Schloß der kleinen Perlenkette zerrissen, die ihre Großmutter Galitzina ihr zur Konfirmation geschenkt hatte. Das nutzlose Spielzeug lag auf dem Boden. Ich bückte mich und steckte es mit einer mechanischen Bewegung in die Tasche. Ich habe nie mehr Gelegenheit gehabt, es Sophie zurückzugeben. Als ich später mal in der Klemme saß, habe ich oft daran gedacht, es zu verkaufen, aber die Perlen waren matt geworden, und kein Juwelier hätte sie mir abgenommen. Ich besitze sie immer noch, oder vielmehr ich besaß sie – versteckt in einem kleinen Koffer, der mir dieses Jahr in Spanien gestohlen wurde. In jener Nacht bin ich zwischen meinem Fenster und meinem Schrank mit der gleichen Unermüdlichkeit hin und her gewandert wie Tante Praskovia. Meine Füße waren nackt, so daß meine Schritte Konrad, der hinter seinem Vorhang schlief, nicht wecken konnten. Wohl zehnmal faßte ich den Entschluß, Sophie in ihrem Zimmer aufzusuchen, während ich in der Dunkelheit nach meinen Schuhen und meiner Jacke tastete. Sicherlich hätte ich sie diesmal allein vorgefunden. Aber da ich das alberne Bedürfnis nach Sauberkeit eines kaum erwachsenen Gemüts hatte, legte ich mir wieder die Frage vor, ob ich diese Frau liebte. Sicherlich fehlte es meiner Leidenschaft bisher an jenem Beweis, durch den auch die weniger Groben unter uns sich ihre Liebe zu bestätigen pflegen; und der Himmel weiß, wie sehr ich Sophie meine eigene Unentschiedenheit vorwarf. Es war nun einmal das Pech dieses allen Männern ausgelieferten Mädchens, daß man sich mit ihr nur für das ganze Leben verbinden konnte. In einer Zeit, da alles wankte, sagte ich mir, daß wenigstens diese Frau fest sein würde wie die Erde, auf der man bauen oder sich niederlegen kann. Es wäre schön gewesen, mit ihr zusammen wie ein paar einsame Schiffbrüchige die Welt neu zu beginnen. Es war mir klar, daß ich bisher ein höchst problematisches Leben geführt hatte, das sich früher oder später als unhaltbar erweisen mußte. Konrad würde älter werden, genau wie ich selber; und der Krieg würde nicht immer alles entschuldigen können. Während ich vor dem Spiegelschrank stand, trug meine nicht ganz unbegründete Ablehnung über die nicht ganz uneigennützige Zustimmung den Sieg davon. Ich fragte mich mit gespielter Kaltblütigkeit, was ich mit dieser Frau anfangen wolle; zweifellos war ich nicht darauf vorbereitet, Konrad als meinen Schwager zu betrachten. Man läßt einen hinreißenden jungen Freund von zwanzig Jahren nicht wegen eines zweifelhaften Verhältnisses mit dessen eigener Schwester fallen. Dann fand ich wiederum, als habe mich mein Hin und Her in dem Zimmer zum entgegengesetzten Ufer zurückgetrieben, zu der anderen Seite meines Wesens zurück, die sich kaltschnäuzig über meine persönlichen Schwierigkeiten hinwegsetzte und zweifellos Zug für Zug genau all jenen Männern glich, die sich vor mir nach einer Verlobten umgesehen hatten. Diesem Jungen in mir, der unkomplizierter war als ich selbst, klopfte das Herz wie jedem jungen Mann, der sich an die weiße Brust einer Frau erinnert.

Ein wenig vor Sonnenaufgang, falls die Sonne an solchen grauen Tagen überhaupt aufging, hörte ich das leichte, geisterhafte Geräusch eines im zugigen Korridor raschelnden Kleides sowie ein leises Kratzen wie das eines Einlaß begehrenden Hündchens an der Tür und den keuchenden Atem einer von ihrem Schicksal gehetzten Frau. Sophie sprach flüsternd, den Mund dicht am Eichenholz der Tür. Die vier oder fünf ihr vertrauten Sprachen, darunter das Russische und das Französische, halfen ihr hinweg über jene ungeschickten Worte, die in allen Ländern der Welt die verbrauchtesten und zugleich auch die lautersten sind.

»Erich«, sagte sie schließlich, »Erich, mein einziger Freund, vergeben Sie mir. Ich flehe Sie an ...«

»Liebste Sophie, ich packe gerade meine Sachen, ich geh' fort. Seien Sie doch morgen früh beim Abschied in der Küche. Ich muß mit Ihnen sprechen ... Verzeihen Sie mir.«

»Erich, ich bin es, die um Verzeihung bittet ...«

Wenn jemand behauptet, er könne sich Wort für Wort an eine Unterhaltung erinnern, so halte ich ihn seit jeher für einen Lügner oder für einen Phantasten. Ich selber behalte stets nur Brocken – einen Text, der so durchlöchert ist wie ein von Würmern zerfressenes Pergament. Meine eigenen Worte höre ich nicht, nicht einmal in dem Augenblick, da ich sie ausspreche. Die Worte des anderen vergesse ich wieder; und war es eine Frau, so erinnere ich mich allenfalls an die Bewegungen ihrer Lippen, wenn sie meinem Munde nahe waren. Alles Weitere ist willkürliche und verfälschte Ergänzung, das gilt natürlich auch für alle anderen Gespräche, an die ich mich hier zu erinnern versuche. Wenn ich mich der dürftigen Plattheiten, die wir uns in jener Nacht zuflüsterten, fast lückenlos entsinne, so sicherlich nur deshalb, weil Sophie mir damals zum letzten Mal in ihrem Leben Zärtlichkeiten sagte. Ich mußte darauf verzichten, den Türschlüssel geräuschlos umzudrehen. Wir glauben zu zögern oder uns zu entschließen; in Wirklichkeit aber sind es zufällige Nebensächlichkeiten, die unsere Entschlüsse bestimmen und unsere geheimen Erwägungen prägen. Meine Feigheit, oder soll ich sagen mein Mut, gingen nicht soweit, daß ich Konrad eine Erklärung gab. Er war naiv genug, in meinem Verhalten am Weihnachtsabend nur Empörung über gewisse Vertraulichkeiten zu sehen, die der erste beste sich mit seiner Schwester herausgenommen hatte. Noch heute weiß ich nicht, ob ich mich jemals überwunden hätte, ihm zu gestehen, daß ich ihn seit vier Monaten jeden Tag durch mein Schweigen belog. Mein Freund drehte sich um und stöhnte im Schlaf, weil sein krankes Bein ihn schmerzte. Ich ging zu meinem Bett zurück, streckte mich aus, die Hände unterm Nacken, und versuchte, nur noch an das morgige Unternehmen zu denken. Hätte ich Sophie in jener Nacht besessen, so hätte ich diese Frau, die ich noch vor kurzem in aller Öffentlichkeit als mein ausschließliches Eigentum gekennzeichnet hatte, vermutlich mit wahrer Gier genossen, Sophie wäre endlich glücklich und jenen Einflüssen zweifellos unzugänglich gewesen, die uns sehr bald für immer voneinander trennen sollten. Der Anlaß zum Bruch zwischen uns wäre also notwendig von mir ausgegangen. Nach ein paar Wochen der Enttäuschung oder der Verzückung wäre ich meinem ebenso hoffnungslosen wie unentbehrlichen Laster wieder zum Opfer gefallen; und dieses Laster, wie immer man darüber auch denken mag, ist weit weniger die Liebe zu jungen Männern als die Einsamkeit. Frauen können in ihr nicht leben und zerstören sie unweigerlich, wäre es auch nur durch ihre Bemühungen, sie in einen Garten zu verwandeln. Die Seite meines Wesens, die mich aufs unerbittlichste in meinem Kern bestimmt, hätte aufs neue die Oberhand gewonnen, und ich würde Sophie wohl oder übel wieder verlassen haben, wie ein Staatsoberhaupt eine Provinz aufgibt, die zu weit von der Hauptstadt entfernt ist. Sophie wäre unweigerlich aufs neue Volkmar verfallen oder gar, wenn er versagt hätte, der Straße. Es gibt anständigere Dinge als solch einen ständigen Wechsel zwischen Selbstpeinigung und Lüge, die peinlich an das Idyll des Handlungsreisenden mit dem Dienstmädchen erinnern. Heute finde ich, daß das Unglück die Dinge damals gar nicht so schlecht geregelt hat. Es bleibt deshalb doch wahr, daß ich vermutlich eine einmalige Chance versäumt habe. Es gibt aber auch Chancen, gegen die unser Instinkt sich trotz aller besseren Einsicht sträubt.

Gegen sieben Uhr morgens ging ich in die Küche hinunter, wo Volkmar bereits abmarschfertig auf mich wartete. Sophie hatte Kaffee aufgewärmt und aus den Resten des weihnachtlichen Festmahls ein Eßpaket für uns vorbereitet. Sie war eine richtige Soldatenfrau, die an alles dachte. Im Hof, ungefähr an der gleichen Stelle, wo ich an einem Novemberabend Texas begraben hatte, nahmen wir Abschied voneinander. Wir waren keinen Augenblick allein. Obschon ich entschlossen war, mich gleich nach meiner Rückkehr endgültig zu binden, war es mir doch keineswegs unangenehm, zwischen meine Erklärung und mich eine Wartezeit zu legen, die vielleicht bis zu meinem Tod dauern konnte. Wir hatten anscheinend alle drei den gestrigen Zwischenfall vergessen. Diese rasche und wenigstens scheinbare Vernarbung war bezeichnend für unser Leben, dessen tägliche Wunden der Krieg gleich wieder ausbrannte. Volkmar und ich küßten die Hand, die sich uns entgegenstreckte und uns noch lange zuwinkte, was jeder von uns auf sich bezog. Unsere Leute warteten, um ein Holzfeuer hockend, bei den Baracken auf uns. Es schneite, was das Marschieren erschwerte, uns aber vielleicht vor Überfällen schützte. Die Brücken waren gesprengt, aber der Fluß war fest zugefroren. Wir wollten Munau erreichen, um Brussaroff, der eingekesselt war und sich in einer weit gefährlicheren Lage befand als wir, bei einem etwaigen Rückzug auf unsere Stellungen zu decken.

Die telephonischen Verbindungen zwischen uns und Munau waren seit ein paar Tagen unterbrochen, ohne daß wir wußten, ob der Schneesturm oder der Feind daran schuld war. In Wirklichkeit war das Dorf am Abend vor Weihnachten in die Hände der Roten gefallen. Der arg mitgenommene Rest von Brussaroffs Truppen lag in Gurna. Brussaroff selbst war schwer verwundet. Er starb eine Woche später. Da es keine anderen Kommandeure gab, war ich für den Rückzug verantwortlich. Ich versuchte einen Gegenangriff auf Munau, in der Hoffnung, die Gefangenen und das Kriegsmaterial zurückzuerobern, doch wurden wir dadurch nur noch mehr geschwächt. Wenn Brussaroff bei klarem Bewußtsein war, wollte er unter keinen Umständen Gurna räumen, dessen strategische Bedeutung er überschätzte. Ich habe übrigens diesen angeblichen Helden, der 1914 die Offensive gegen Ostpreußen leitete, immer für unfähig gehalten. Einer von uns mußte unbedingt nach Kratovice zurückkehren, um Rugen zu holen und zugleich von Wirtz einen genauen Lagebericht zu überbringen, oder vielmehr zwei Lageberichte: Brussaroffs und meinen eigenen. Ich wählte Volkmar für diesen Auftrag, weil er allein die nötige Geschicklichkeit besaß, um mit dem Oberbefehlshaber zu verhandeln und Rugen zu überreden, zu uns zu stoßen. Ich habe vergessen zu sagen, daß Paul einen selbst in unseren Reihen überraschenden Widerwillen gegen die Offiziere des zaristischen Rußland empfand, obschon auch wir den Emigranten fast ebenso feindselig gesonnen waren wie den Bolschewiken. Eine andere und sozusagen berufsmäßige Eigenart Pauls bestand darin, daß seine ganze Teilnahme und Arbeitskraft nur den Verwundeten in seinem Lazarett galt, so daß der sterbende Brussaroff in Gurna ihn weniger interessierte als ein beliebiger Soldat, den er am Tag vorher operiert hatte.

Um Mißverständnisse zu vermeiden: Ich möchte nicht unnötig für noch verschlagener gehalten werden, als ich es vielleicht wirklich bin. Ich versuchte damals nicht (der bloße Gedanke daran macht mich lachen), einen Nebenbuhler loszuwerden, indem ich ihm einen gefährlichen Auftrag anhängte. Wegzugehen war nicht gefährlicher als dazubleiben; auch glaube ich nicht, daß Volkmar mir einen besonders gefährlichen Auftrag übelgenommen hätte. Vielleicht rechnete er sogar damit und hätte es gegebenenfalls mit mir ebenso gemacht. Ich hätte auch selber nach Kratovice zurückgehen und Volkmar mit Befehlsvollmacht in Gurna lassen können, wo der sterbende Brussaroff keine Rolle mehr spielte. Volkmar war damals zunächst ein wenig gekränkt, daß ich ihm die bescheidenere Rolle zugedacht hatte; später, als die Lage sich verschlimmerte, hat er es mir sicher gedankt, daß ich die Verantwortung selber übernahm. Es ist auch nicht wahr, daß ich ihn nach Kratovice zurückschickte, um ihm eine letzte Gelegenheit zu geben, mich endgültig bei Sophie auszustechen. Das sind Feinheiten der Motivation, wegen derer man sich erst nachträglich selber verdächtigt. Ich empfand Volkmar gegenüber nicht das Mißtrauen, das vielleicht zwischen uns normal gewesen wäre. Er hatte sich in jener kurzen gemeinsam verlebten Zeit wider alles Erwarten eigentlich als eher gutmütig erwiesen. In diesen Dingen wie in vielen anderen fehlte es mir außerdem an Spürsinn. Volkmars kameradschaftliches Verhalten war im Grunde keine heuchlerische Maske, sondern sozusagen ein Privileg des Soldatenstandes, das man mit der Uniform übernahm und wieder ablegte. Ich muß hinzufügen, daß er gegen mich einen alten animalischen und nicht nur eigennützigen Haß hegte. Er empfand mich offenbar als ein Ärgernis und wahrscheinlich genauso abstoßend wie eine Spinne. Möglicherweise hat er geglaubt, es sei seine Pflicht, Sophie vor mir zu warnen; jedenfalls bin ich ihm immer noch dankbar, daß er diesen Trumpf nicht eher gegen mich ausgespielt hat. Es war mir durchaus klar, daß es gefährlich für mich war, ihn wieder mit Sophie zusammenzubringen, immer vorausgesetzt, daß sie mir viel bedeutete; aber der Augenblick verbot derartige Überlegungen, die mein Stolz mir sowieso nicht erlaubt haben würde. Andererseits bin ich fest überzeugt, daß er mich nie bei von Wirtz angeschwärzt hat. Volkmar war anständig bis zu einem gewissen Punkt – wie alle Menschen.

Einige Tage später stieß Rugen mit ein paar gepanzerten Lastwagen und einem Krankenwagen zu uns. Da wir nicht noch länger in Gurna bleiben konnten, entschloß ich mich, Brussaroff mit Gewalt wegzuführen. Er starb, wie vorauszusehen war, unterwegs und erwies sich tot als ebenso lästig, wie er es lebend gewesen war. Wir wurden ein paar Kilometer stromaufwärts angegriffen, so daß ich nur mit ein paar Leuten nach Kratovice zurückkam. Aus den Fehlern, die ich auf diesem Miniaturrückzug beging, habe ich manches gelernt, was ich einige Monate später während der Operation an der polnischen Grenze verwerten konnte, so daß jeder einzelne von meinen bei Gurna gefallenen Leuten mir später ein ganzes Dutzend Menschenleben rettete. Aber das ist gleichgültig. Der Besiegte hat immer unrecht, und ich verdiente sicher all die Vorwürfe, die auf mich niederprasselten – bis auf einen: daß ich die Befehle eines schon in der Agonie befindlichen Mannes nicht befolgt hatte. Am meisten traf mich der Tod von Paul. Es war mein einziger Freund. Ich bin mir klar, daß diese Behauptung offenbar allem widerspricht, was ich bisher gesagt habe. Wenn man nur darüber nachdenkt, ist es jedoch nicht schwer, diesen scheinbaren Widerspruch zu beheben. Die erste Nacht nach meiner Rückkehr verbrachte ich in den Baracken auf einer Matratze, die von Läusen wimmelte, welche uns zu all den anderen Gefahren auch noch mit Typhus bedrohten. Ich glaube, daß ich wie ein Toter schlief. Ich hatte, was Sophie betraf, meinen Entschluß nicht geändert; außerdem hatte ich gar keine Zeit, an sie zu denken. Vielleicht wollte ich auch meinen Fuß nicht unbedingt sofort in eine Falle setzen, in die zu gehen ich immerhin bereit war. Alles kam mir in jener Nacht würdelos, nutzlos, sinnlos und grau vor. Am nächsten Morgen – es war schmutziges Tauwetter mit Westwind – ging ich den kurzen Weg von den Baracken zum Schloß hinüber. Statt auf der Dienstbotentreppe zu Konrads Büro hinaufzusteigen, wählte ich die mit Stroh und leeren Kisten halbversperrte Haupttreppe. Ich war ungewaschen und unrasiert und daher, falls mich Vorwürfe oder Liebesbezeugungen erwarteten, in einem Zustand absoluter Unterlegenheit. Auf der Treppe, die nur durch den schmalen Spalt eines zugestopften Fensterladens Licht empfing, war es fast dunkel. Plötzlich befand ich mich, zwischen dem ersten und dem zweiten Stock, Nase an Nase Sophie gegenüber, die gerade die Treppe herunterkam. Sie trug ihre Pelzjacke, ihre Schneeschuhe und einen kleinen Wollschal um den Kopf – wie die Frauen sich heutzutage in den Strandbädern ein seidenes Taschentuch um die Haare binden. In der Hand trug sie ein Paket, das in ein Tuch geknotet war. Ich hatte sie öfters ein solches Paket tragen sehen, wenn sie zu den Kranken hinüberging oder die Frau des Gärtners besuchte. Nichts von alledem war neu, so daß nur der Blick ihrer Augen mich hätte warnen können. Aber sie vermied es, mich anzusehen.

»Bei einem solchen Wetter wollen Sie ausgehen, Sophie?«, sagte ich scherzend und versuchte, ihre Hand zu fassen.

»Ja«, sagte sie, »ich gehe weg.«

An ihrer Stimme merkte ich, daß es ihr Ernst war und daß sie wirklich wegging.

»Wo wollen Sie hin?«

»Das geht Sie nichts an«, sagte sie, zog ihre Hand mit einer schroffen Bewegung zurück, und ihre Kehle zeigte jene leichte Anschwellung, die an den Hals einer Taube denken läßt und verrät, daß man gerade ein Schluchzen unterdrückt hat.

»Und darf man vielleicht wissen, warum Sie weggehen?«

»Ich hab's satt«, sagte sie mit einem Zittern um die Lippen, das an Tante Praskovias Gesichtszucken erinnerte. »Ich hab's satt.« Sie nahm ihr lächerliches Paket, das ihr das Aussehen einer entlassenen Dienstmagd gab, aus der rechten in die linke Hand, stürzte nach vorn, als wollte sie mir entfliehen, kam aber nur bis zur nächsten Stufe, was sie mir gegen ihren Willen näher brachte. Darauf drückte sie sich an die Wand, um möglichst fern von mir zu bleiben, und sah mich zum erstenmal mit dem Ausdruck tiefen Abscheus an.

»Oh«, rief sie, »wie ihr alle mich anekelt ...«

Ich bin sicher, daß alles, was sie dann noch sagte, nicht ihre eigenen Worte waren. Es war nicht schwer zu erraten, von wem sie herrührten. Es war wie ein jauchespeiender Brunnen. Ihr Gesicht hatte den groben Ausdruck einer Bäuerin angenommen. Ich hatte solche Explosionen obszöner Empörung bei Mädchen aus dem Volke schon früher erlebt. Es ist unwichtig, ob jene Anklagen gerechtfertigt waren oder nicht. Alles, was in solchem Zusammenhang gesagt wird, ist falsch. Was die Sinne an Wahrheiten erfassen, kann nicht in Worten ausgedrückt werden, es deutet sich höchstens in den Nuancen eines intimen Gesprächs an. Die Lage klärte sich. Das war eine Gegnerin, die mir gegenüberstand; und daß ich hinter Sophies Entsagung immer Haß gewittert hatte, zeigte mir wenigstens, wie hellsichtig ich war. Vielleicht hätte ein rückhaltloses Geständnis von meiner Seite sie davon abgehalten, auf diese Weise zum Feinde überzugehen; aber das sind Überlegungen, die ebenso müßig sind wie etwa die, ob Napoleon bei Waterloo hätte siegen können.

»Vermutlich haben Sie diese Gemeinheiten von Volkmar.«

»Ach der!« sagte sie mit einem Ausdruck, der keinen Zweifel erlaubte, wie sie über ihn dachte. Offenbar hatte sie in diesem Augenblick für uns beide und für alle anderen Männer die gleiche Verachtung.

»Wissen Sie, was mich eigentlich wundert? Daß diese reizenden Gedanken Ihnen nicht schon längst gekommen sind«, sagte ich so obenhin wie nur möglich und versuchte sie in eine Auseinandersetzung zu verwickeln, in der sie noch vor zwei Monaten sicher den kürzeren gezogen hätte.

»Ja«, sagte sie zerstreut. »Ja, aber das ist unwichtig.«

Sie log nicht. Frauen nehmen nichts wichtig, nur sich selber. Jede andere Wahl ist in ihren Augen entweder ein chronischer Wahnsinn oder eine vorübergehende Verirrung. Ich wollte voll Erbitterung fragen, was denn für sie wichtig sei, als ich sah, wie sie in einem neuen Anfall schmerzlicher Verzweiflung blaß wurde, zitterte und ihre Augen sich mit Tränen füllten.

»Immerhin hätte ich nicht geglaubt, daß Sie Konrad in all das hineinziehen würden«, sagte sie.

Sie wandte den Kopf ein wenig zur Seite und wurde rot, als ob die große Schande einer solchen Anschuldigung auch auf sie selber zurückfiele. Jetzt begriff ich, daß Sophies Gleichgültigkeit gegen ihre Angehörigen, die mich lange Zeit empört hatte, ein täuschender Schein und eine instinktive List gewesen war, durch die sie ihnen jede Berührung mit dem Elend und dem Ekel, in die sie selber sich gestürzt glaubte, ersparen wollte. Ich begriff auch, daß ihre Zärtlichkeit für ihren Bruder unverändert und unsichtbar wie eine süße Quelle im Salzwasser des Meeres neben ihrer Leidenschaft für mich weiterbestanden hatte. Sie hatte darüber hinaus Konrad mit allen Vorzügen und allen Tugenden ausgestattet, auf die sie selber verzichtete, so als ob dieser schwache Junge ihre eigene Unschuld verkörpert hätte. Die Tatsache, daß sie ihn gegen mich verteidigte, rührte an die empfindlichste Stelle meines schlechten Gewissens. Alle Antworten wären besser gewesen als die, an der ich hängenblieb – aus Gereiztheit, aus Schüchternheit und in dem Wunsch, sofort zurückzuschlagen. In jedem von uns steckt ein unverschämter und stumpfsinniger Grobian; und dieser erwiderte ihr:

»Die Straßenmädchen, liebe Sophie, haben nicht die Rolle der Sittenpolizei zu spielen!«

Sie sah mich erstaunt an. Das hatte sie trotz allem nicht erwartet. Zu spät merkte ich, daß sie ein Leugnen meinerseits mit Freuden aufgenommen und ein Geständnis nur mit einem Tränenstrom beantwortet hätte. Sie beugte sich vor, runzelte die Brauen, suchte nach einer Antwort auf jenen kleinen Satz, der uns mehr als jede Lüge und jedes Laster voneinander trennte, fand aber nur ein wenig Speichel in ihrem Mund und spie mir ins Gesicht. Auf das Geländer gestützt, sah ich ihr stumpfsinnig zu, wie sie mit schweren und zugleich raschen Schritten die Treppe hinunterging. Als sie unten ankam, verhakte sich ihre Pelzjacke an dem rostigen Nagel einer Kiste. Sie riß sich los. Ein langer Fellstreifen blieb hängen. Kurz darauf hörte ich, wie die Tür der Halle sich hinter ihr schloß.

Ehe ich in Konrads Zimmer trat, wischte ich mir das Gesicht mit meinem Ärmel ab. Durch die offenen Türflügel drang – halb Maschinengewehr, halb Nähmaschine – das knatternde Geräusch des Telegraphen. Konrad arbeitete mit dem Rücken zum Fenster an einem riesigen reichverzierten Eichentisch in der Mitte des Büros, in dem ein närrischer Großvater seinerzeit eine groteske Sammlung von Jagdtrophäen untergebracht hatte. Eine drollige und zugleich bedrückende Reihe von ausgestopften kleinen Tieren stand aufgereiht in verschiedenen Schränken – unter ihnen jenes mir unvergeßliche Eichhörnchen, das über seinem mottenzerfressenen Fell ein Tiroler Jäckchen und Hütchen trug. In diesem Zimmer, das nach Kampfer und Naphthalin roch, habe ich einige der entscheidendsten Augenblicke meines Lebens verbracht. Als Konrad mich eintreten sah, wandte er mir kurz sein blasses, von Überanstrengung und Sorge gezeichnetes Gesicht zu. Ich stellte fest, daß seine blonden Haarsträhnen, die ihm immer wieder in die Stirn fielen, weniger dicht wirkten und weniger glänzten als früher. Mit dreißig Jahren würde er eine kleine Glatze haben.

Konrad war Russe genug, um sich für Brussaroff zu begeistern. Er gab mir Unrecht – vielleicht auch um so mehr, weil er sich die ganze Zeit um mich geängstigt hatte. Gleich bei den ersten Worten unterbrach er mich:

»Volkmar glaubte nicht, daß Brussaroff tödlich verwundet war.«

»Volkmar ist kein Arzt«, sagte ich und fühlte, wie dieser Name in mir all die Bitterkeit wieder wachrief, die ich noch vor zehn Minuten keineswegs gegen diesen Mann empfunden hatte. »Paul war von vornherein überzeugt, daß Brussaroff bestenfalls noch zwei Tage zu leben hatte ...«

»Und da es Paul nicht mehr gibt, bleibt nichts anderes übrig, als dir aufs Wort zu glauben.«

»Sag doch gleich, daß es dir lieber gewesen wäre, wenn ich nicht zurückgekommen wäre.«

»Oh, wie ihr alle mich anekelt!« sagte er und nahm den Kopf zwischen seine schmalen Hände. Es waren genau dieselben Worte, die Sophie gebraucht hatte. Bruder und Schwester waren beide gleich rein, gleich unduldsam und gleich eigensinnig.

Mein Freund hat mir den Tod jenes unklugen und schlecht unterrichteten Mannes nie verziehen; aber er hat mein Verhalten, das er persönlich so entschieden mißbilligte, öffentlich bis zuletzt verteidigt. Während ich am Fenster stand, hörte ich Konrad reden, ohne ihn zu unterbrechen; das heißt, ich hörte kaum, was er sagte. Eine kleine Gestalt, die sich gegen den Schnee, den Schmutz und den grauen Himmel abzeichnete, nahm meine ganze Aufmerksamkeit in Anspruch und ließ mich nur eines fürchten: es könnte Konrad einfallen, aufzustehen und ans Fenster zu humpeln, um ebenfalls einen Blick hinauszuwerfen. Das Fenster ging auf den Hof; über die alte Bäckerei hinweg sah man eine Biegung der Straße, die auf der anderen Seite des Sees zu dem Dorf Marba führte. Sophie kam kaum voran in ihren schweren Schuhen, die sie mit großer Mühe vom Boden losriß und die riesige Spuren im Schnee zurückließen. Sie hielt den Kopf gebeugt und mußte offenbar gegen den Wind ankämpfen. Mit ihrem Bündel sah sie aus wie eine Hausiererin. Ich wartete mit angehaltenem Atem bis zu dem Augenblick, da ihr mit einem Schal umwickelter Kopf hinter der kleinen zerfallenen Mauer neben der Straße verschwand. Den Tadel, mit dem Konrads Stimme mich weiter bedrängte, nahm ich auf mich anstelle anderer Vorwürfe, die er mir berechtigterweise hätte machen können, wenn er gewußt hätte, daß ich Sophie allein und ohne jede Hoffnung auf Heimkehr ins Unbekannte fortziehen ließ. Ich bin sicher, daß sie in jenem Augenblick gerade genügend Mut hatte, um geradeaus zu gehen, ohne sich umzuwenden. Konrad und ich hätten sie leicht einholen und mit Gewalt zurückbringen können, aber gerade das wollte ich nicht – teils aus Rachsucht, aber auch, weil ich es nicht ertragen hätte, unser früheres gespanntes und eintöniges Verhältnis nach allem, was zwischen uns geschehen war, unverändert wiederaufzunehmen und weiter mitzuschleppen; teils aus Neugier und um dem Schicksal Gelegenheit zu geben, sich unbehindert zu verwirklichen. Eins aber stand fest: Sophie würde sich sicher nicht Volkmar in die Arme werfen. Außerdem führte jener ehemalige Leinpfad sie nicht zu den Vorposten der Roten, was ich einen Augenblick lang vermutet hatte. Ich kannte Sophie zu gut, um zu wissen, daß wir sie nie wieder lebend in Kratovice sehen würden; trotzdem blieb ich überzeugt, daß wir uns eines Tages früher oder später wieder begegnen würden. Ich glaube, ich hätte sie auch dann unbehelligt davonziehen lassen, wenn ich die näheren Umstände unseres Wiedersehens vorausgesehen hätte. Sophie war kein Kind; und ich habe auf meine Weise genügend Achtung vor den Menschen, um sie an ihren entscheidenden Entschlüssen nicht zu hindern.

Sophies Verschwinden wurde, so sonderbar es auch scheinen mag, erst etwa dreißig Stunden später bemerkt. Wie zu erwarten war, schlug Chopin als erster Alarm. Er hatte Sophie tags zuvor gegen Mittag an jener Stelle getroffen, wo die Chaussee vom Ufer abbiegt und in einen kleinen Tannenwald verschwindet. Sophie hatte ihn um eine Zigarette gebeten, worauf er seine letzte mit ihr geteilt hatte. Dann hatten sie sich nebeneinander auf die alte wacklige

Bank gesetzt, die noch aus jener Zeit stammte, als der ganze See mit zum Schloßpark gehörte. Sophie hatte sich nach Chopins Frau erkundigt, die gerade in einer Warschauer Klinik von einem Kinde entbunden worden war. Beim Abschied hatte sie ihn gebeten, über ihre Begegnung Schweigen zu bewahren. »Vor allem kein Gerede, mein Guter. Erich hat mich fortgeschickt, verstanden?«

Chopin war daran gewöhnt, daß Sophie gefährliche Botengänge für mich machte, was er schweigend mißbilligte. Am nächsten Tag aber fragte er mich, ob ich das junge Mädchen nach Marba geschickt hätte. Ich zuckte mit den Schultern. Chopin war beunruhigt und wollte Näheres wissen. Mir blieb nichts weiter übrig, als zu lügen, daß ich Sophie seit meiner Rückkehr noch nicht wiedergesehen hätte. Es wäre vorsichtiger gewesen, zuzugeben, daß wir uns kurz auf der Treppe begegnet waren; aber man lügt fast immer nur für sich selber und um zu versuchen, eine Erinnerung zu verdrängen. Am nächsten Tag erzählten ein paar neu angekommene russische Flüchtlinge, daß sie unterwegs einer jungen Bäuerin in einer Pelzjacke begegnet seien und sich mit ihr während eines kurzen Schneesturms unter das Schutzdach einer Wildhütte geflüchtet hätten. Sie hätten mit ihr ein paar Begrüßungsworte und Scherze gewechselt, obwohl sie ihren Dialekt kaum verstanden hätten; auch habe sie ihnen ein Stück von ihrem Brot gegeben. Die Fragen, die einer von ihnen dann auf deutsch an sie richtete, hatte sie mit einem Kopfschütteln beantwortet, als verstehe sie nur den Dialekt der Gegend. Auf Chopins Vorschlag hin ließ Konrad in der Umgebung Streifen veranstalten, aber ohne Ergebnis. Alle Gehöfte waren verlassen und leer, und die einsamen Fußspuren im Schnee konnten ebensogut von einem Vagabunden oder Soldaten herrühren. Am Tag darauf war das Wetter so schlecht, daß selbst Chopin alles weitere Suchen aufgab; überdies zwang ein neuer Angriff der Roten uns, an andere Dinge als an Sophies Verschwinden zu denken.

Konrad hatte mich nicht zum Hüter seiner Schwester bestellt; und schließlich hatte ich Sophie nicht mit Gewalt auf die Straße geschickt. Trotzdem verfolgte mich das Bild des durch Schnee und Schlamm watenden jungen Mädchens in jenen langen schlaflosen Nächten wie ein hartnäckiges Gespenst. Tatsächlich hat die tote Sophie mich später nie so verfolgt wie damals die verschwundene Sophie. Als ich über die näheren Umstände ihres Weggehens nachdachte, traf ich auf eine Spur, die ich für mich behielt. Seit langem vermutete ich, daß die Beziehungen zwischen Sophie und dem Buchhandlungsgehilfen Grigori Loew nicht völlig unterbrochen waren. Nun führte der Weg nach Marba ebenfalls nach Lilienkron, wo die Mutter Loew das doppelte und einträgliche Geschäft einer Hebamme und einer Schneiderin betrieb. Ihr Mann, Jakob Loew, hatte das fast ebenso anerkannte und obendrein noch einträgliche Geschäft des Wucherns betrieben – lange Zeit ohne Wissen seines Sohnes (was ich gern glauben will) und später zu dessen größtem Abscheu. Bei gelegentlichen Repressalien der antibolschewistischen Truppen war der Vater Loew auf der Schwelle seines Kramladens niedergeschlagen worden und spielte seitdem in der kleinen jüdischen Gemeinde von Lilienkron die interessante Rolle eines Märtyrers. Hingegen war es bisher der Mutter Loew gelungen, sich im Lande zu halten, obwohl sie in jeder erdenklichen Hinsicht und vor allem, weil ihr Sohn einen Posten in der bolschewistischen Armee hatte, verdächtig war. So viel Geschick oder auch Niedertracht nahmen mich nicht gerade günstig für sie ein.

Der Kronleuchter aus Porzellan und der mit scharlachrotem Rips bespannte Salon der Familie Loew waren außer Kratovice das einzige Milieu, das Sophie kennengelernt hatte. Es war also zu vermuten, daß sie sich dorthin begeben hatte, als sie uns verließ. Es war mir bekannt, daß sie nach jener Vergewaltigung, die ihr erstes Unglück war, in der Befürchtung, sich angesteckt zu haben oder schwanger zu sein, die Mutter Loew um Rat gefragt hatte. Bei ihrem Charakter war die Tatsache, sich ein erstes Mal jener Matrone anvertraut zu haben, ein genügender Grund, sie immer wieder ins Vertrauen zu ziehen. Übrigens trug das verfettete Gesicht der alten Frau – und ich muß meinen Scharfblick lo-

ben, da ich es gleich beim erstenmal und gegen meine ein-
gewurzeltsten Vorurteile bemerkte – den Ausdruck einer
derben Güte. Wegen des Kasernenlebens, das Sophie bei
uns führen mußte, blieb zwischen diesen beiden Frauen eine Verbindung bestehen.

Unter dem Vorwand, Lebensmittel zu beschaffen, fuhr ich
mit ein paar Leuten in meinem alten gepanzerten Lastauto
nach Lilienkron. Das ächzende Vehikel hielt vor dem halb
ländlichen, halb städtischen Haus der Mutter Loew, die gerade ihre Wäsche in der Februarsonne zum Trocknen in
ihrem Garten und im Garten ihrer evakuierten Nachbarn
ausbreitete. Über ihrem schwarzen Kleid und ihrer weißen Leinenschürze erkannte ich Sophies kurze zerrissene
Pelzjacke wieder, aus der die dicke alte Frau aufs lächerlich-
ste herausquoll. Bei der Hausdurchsuchung fand ich nichts
weiter als die erwartete Anzahl von Emailschüsseln, Näh-
maschinen, antiseptischen Mitteln und einen Haufen zwei
Jahre alter Berliner Modejournale. Während meine Leute in
den Schränken herumstöberten, die voll waren von all dem
Plunder, mit dem arme Bäuerinnen die Hebamme bezahlt
hatten, ließ die Mutter Loew mich auf dem roten Sofa des
Eßzimmers Platz nehmen. Obwohl sie sich weigerte, mir zu
erklären, wie sie in den Besitz von Sophies Pelzjacke gelangt
war, bestand sie doch mit einer Mischung aus abstoßen-
der Unterwürfigkeit und alttestamentarischer Gastfreund-
schaft darauf, ich solle wenigstens ein Glas Tee zu mir nehmen. Ihr höflicher Übereifer kam mir verdächtig vor; und
ich kam gerade noch rechtzeitig in die Küche, um zu verhin-
dern, daß die Flamme des Samowars etwa ein Dutzend Briefe des lieben Grigori verzehrte. Aus mütterlichem Aberglau-
ben hatte sie diese gefährlichen Papiere aufbewahrt; aber da
der letzte dieser Briefe schon vor mehr als vierzehn Tagen
eingetroffen war, konnte ich aus ihnen nichts von dem erfahren, was mich interessierte. Da man wußte, daß die alte Jüdin mit den Roten in Verbindung stand, wäre sie früher oder später auch dann erschossen worden, wenn diese
halbverbrannten Papierfetzen nichts weiter enthalten hät-

ten als gleichgültige Zeugnisse von der Anhänglichkeit des Sohnes an die Mutter, hinter denen sich aber möglicherweise Mitteilungen in Schlüsselschrift verbargen. Die Beweise waren ausreichend genug, um selbst in den Augen der betroffenen Frau Loew eine Verhaftung zu rechtfertigen. Als wir wieder auf dem roten Ripssofa Platz genommen hatten, entschloß sich die alte Frau, einen Mittelweg zwischen Schweigen und Geständnis einzuschlagen. Sie gab zu, daß die völlig erschöpfte Sophie sich am Donnerstagabend bei ihr ausgeruht hatte und mitten in der Nacht wieder fortgegangen war. Über den Zweck dieses Besuches konnte ich zunächst nicht das geringste erfahren.

»Sie wollte mich sehen, das war alles«, sagte die Alte in einem rätselhaften Ton und zwinkerte nervös mit den Augen, die trotz der geschwollenen Lider immer noch schön waren.

»War sie schwanger?«

Das war nicht nur unnötige Brutalität. Ein Mann, der Sicherheit haben will, wagt jede Vermutung. Falls eines von Sophies letzten Abenteuern Folgen gehabt hätte, so wäre sie erst recht vor mir geflohen, und unser Streit auf der Treppe wäre dann für sie nur ein Mittel gewesen, mir den eigentlichen Grund ihres Weggehens zu verheimlichen.

»Aber, Herr Offizier, eine Dame wie die junge Gräfin ist doch nicht eine von diesen Bäuerinnen!«

Schließlich gestand sie, daß Sophie nach Lilienkron gekommen sei, um sich einen Männeranzug zu besorgen, den früher Grigori getragen hatte.

»Sie hat den Anzug genau dort probiert, wo Sie jetzt sind, Herr Offizier. Das konnte ich ihr wirklich nicht abschlagen. Aber die Kleider paßten ihr nicht: sie waren zu klein.«

Ich erinnerte mich daran, daß Sophie in der Tat schon mit sechzehn Jahren einen ganzen Kopf größer war als der schmächtige kleine Buchhandlungsgehilfe. Es war komisch, sich vorzustellen, wie sie sich in Grigoris Hose und Jacke hineinzuzwängen versuchte. Die Mutter Loew hatte ihr die Kleider einer Bäuerin angeboten, aber Sophie war bei ihrer Idee geblieben; und schließlich fand sich für sie ein passen-

der Männeranzug. Auch einen Führer hatte man ihr mit-
gegeben.

»Wer war das?«

»Er ist nicht zurückgekommen«, sagte die Alte, und ihre
Hängebacken begannen zu zittern.

»Und deshalb haben Sie diese Woche keinen Brief von Ihrem Sohn erhalten. Wo sind die beiden?«

»Wenn ich das wüßte, mein Herr, würde ich es Ihnen,
glaube ich, nicht sagen«, erwiderte sie nicht ohne Würde.

»Und nehmen Sie an, ich hätte gewußt, wo sie vor ein paar
Tagen gewesen sind, so wären meine Angaben jetzt sowieso veraltet.«

Das war klar und richtig; und die dicke Frau, die gegen
ihren Willen alle Anzeichen körperlicher Angst aufwies,
war innerlich nicht ohne Mut. Ihre Hände, die sie über dem
Bauch gefaltet hielt, zitterten krampfhaft, und nicht einmal Bajonette hätten ihr das Geheimnis entrissen; sie war
standhaft wie die Mutter der Makkabäer. Ich war bereits
entschlossen, dieser Kreatur das Leben zu schenken, die im
Grunde nichts weiter getan hatte, als in das dunkle Spiel
einzutreten, das Sophie und ich gegeneinander spielten. Es
nützte aber nicht, denn die alte Jüdin wurde einige Wochen
später von ein paar Soldaten umgebracht. Was mich selber
betraf, so hätte ich dieses unglückliche Geschöpf ebensogut
wie eine Raupe zertreten können. Ich wäre weniger nach-
sichtig gewesen, wenn ich Grigori oder Volkmar vor mir gehabt hätte.

»Fräulein von Reval hatte Ihnen doch sicher schon seit
langem ihre Pläne anvertraut?«

»Nein. Es war letzten Herbst davon die Rede gewesen«,
sagte sie und warf mir einen raschen, ängstlichen Blick zu,
um festzustellen, wieweit ihr Gesprächspartner im Bilde
war. »Seitdem hat sie mir nichts mehr davon erzählt.«

»Gut«, sagte ich, stand auf und schob zugleich die ver-
kohlten Briefe von Grigori in eine meiner Manteltaschen.

Ich wollte möglichst rasch dies Zimmer verlassen, wo
Sophies über eine Sofalehne geworfene Pelzjacke mich so
traurig machte, als hätte ich einen herrenlosen Hund vor

mir gehabt. Ich werde bis zu meinem Tode davon überzeugt bleiben, daß die Alte sich die Jacke für ihre Gefälligkeiten hatte geben lassen.

»Sie wissen doch, welche Gefahr es für Sie bedeutet, daß Sie Fräulein von Reval behilflich waren, ins Lager des Feindes zu gelangen?«

»Mein Sohn hat mir gesagt, ich solle mich der jungen Komtesse zur Verfügung stellen«, antwortete mir die Hebamme, die sich um die neuen Anredeformen herzlich wenig zu kümmern schien. »Wenn es ihr geglückt ist«, fügte sie fast ungewollt und nicht ohne einen gewissen Stolz hinzu, »so werden mein Grigori und sie wohl geheiratet haben. Das vereinfacht auch die Dinge.«

In dem Lastwagen, der uns nach Kratovice zurückbrachte, mußte ich plötzlich laut lachen über die liebevolle Besorgnis, mit der ich mich um die junge Frau Loew gekümmert hatte. Aller Wahrscheinlichkeit nach lag Sophies Körper in diesem Augenblick in irgendeinem Graben oder hinter einer Hecke, mit angezogenen Knien, die Haare von Erde beschmutzt, wie der Kadaver eines Rebhuhns oder eines von einem Wilderer angeschossenen Fasans. Natürlich hätte ich dieser Möglichkeit vor allen anderen den Vorzug gegeben.

Ich verbarg vor Konrad nichts von dem, was ich in Lilienkron erfahren hatte. Zweifellos hatte ich damals das Bedürfnis, meine Bitterkeit mit jemand anderem gemeinsam auszukosten. Es war klar, daß Sophie auf Grund einer plötzlichen Eingebung gehandelt hatte, die eine verlassene Frau oder ein verführtes Mädchen, auch wenn beide keinen besonderen Hang zu übertriebenen Entschlüssen haben, veranlassen kann, in ein Kloster oder ein Bordell zu gehen. Nur Loew verdarb mir ein wenig diese Auslegung von Sophies Fortgang; immerhin hatte ich damals schon genug Erfahrung, um zu wissen, daß niemand sich die Komparsen seines Lebens selber wählt. Ich allein hatte Sophie daran gehindert, den revolutionären Keim in sich zu entwickeln. Nachdem sie sich einmal ihre Liebe aus dem Herzen gerissen hatte, konnte sie sich nur noch rückhaltlos für den Weg entscheiden, der ihr durch die Lektüre ihrer Jugend und durch die aufregende

Kameradschaft mit dem kleinen Grigori vorgezeichnet war – und auch durch jenen Abscheu, mit dem enttäuschte Seelen die Umwelt zu bedenken pflegen, in der sie groß geworden sind. Aber Konrad hatte die nervöse Schwäche, Tatsachen niemals, so wie sie waren, hinzunehmen, ohne sie stets um zweifelhafte Auslegungen oder Vermutungen zu bereichern. Ich war von dem gleichen Laster angesteckt; aber meine Vermutungen blieben eben Vermutungen und entarteten nie zu Mythen oder zu romanhaften Vorstellungen vom Leben. Je länger Konrad über dies heimliche Verschwinden ohne einen Brief und ohne einen Abschiedskuß nachsann, desto mehr argwöhnte er Beweggründe, die man besser im dunkeln ließ. In jenem langen Winter in Kratovice waren Bruder und Schwester einander so völlig fremd geworden, wie es in diesem Maße nur zwei Mitglieder derselben Familie fertigbringen. Seit meiner Rückkehr von Lilienkron war Sophie für Konrad nur noch die Spionin, deren Anwesenheit unsere Fehlschläge und sogar mein kürzliches Pech in Gurna zur Genüge erklärte.

Ich hingegen war von Sophies Lauterkeit genauso fest überzeugt wie von ihrem Mut, und Konrads törichte Beschuldigungen brachten einen Mißton in unsere Freundschaft. Ich habe bei denen, die so leicht an die Unwürdigkeit von anderen glauben, stets irgendeinen niedrigen Zug gefunden. Ich achtete Konrad deshalb weniger, bis zu jenem Tage, an dem ich begriff, daß er aus Sophie eine Art Mata Hari für einen Film oder einen Kitschroman zu machen suchte, um auf diese naive Weise seine Schwester zu ehren und jenem Gesicht mit den großen, leicht wahnsinnigen Augen jene hinreißende Schönheit zu verleihen, die das junge Mädchen schon hatte, für die er als Bruder bisher aber blind gewesen war. Schlimmer war aber, daß der fassungslos empörte Chopin sich ohne Widerrede mit Konrads romanhaften und kitschigen Erklärungen zufrieden gab. Chopin hatte Sophie leidenschaftlich verehrt. Seine Enttäuschung war so groß, daß ihm nichts übrig blieb, als sein früheres Idol, das zum Feinde übergelaufen war, zu bespeien. Von uns dreien war ich sicherlich nicht der lauterste; und doch war ich der einzige, der Vertrauen zu Sophie hatte und der schon jetzt jenen Freispruch für sie bereit hielt, den sie mit vollem Recht im Augenblick ihres Todes selber für sich beanspruchen durfte. Die lauteren Herzen nehmen nämlich eine ganze Reihe von Vorurteilen für sich in Anspruch, deren Fehlen bei den zynischen Gemütern vielleicht die ausbleibenden Skrupel ausgleicht. Es ist allerdings wahr, daß ich als einziger durch jenes Ereignis mehr gewann als verlor; und daß ich mir nicht versagen konnte, wie so oft in meinem Leben, mit jenem Unglück heimliche Blicke des Einverständnisses zu wechseln. Man behauptet, das Schicksal verstehe sich vorzüglich darauf, die Schlinge um den Hals seines Opfers nach und nach immer enger zu ziehen; nach meiner Ansicht aber versteht es noch viel besser, Bindungen zu zerreißen. Auf die Dauer hilft es uns – mit oder ohne unseren Willen – aus der Verlegenheit, indem es uns von allen Bindungen befreit.

Von jenem Tage an war Sophie für uns so endgültig begraben, als hätte ich ihren von einer Kugel durchbohrten Leichnam von Lilienkron mit nach Hause gebracht. Die Leere, die durch ihr Fortgehen entstand, war weit größer als der Platz, den sie scheinbar unter uns eingenommen hatte. Seit Sophie verschwunden war, herrschte in dem frauenlosen Hause (denn Tante Praskovia war bestenfalls ein Phantom) die Grabesstille eines Klosters. Unsere immer weiter zusammenschmelzende Gruppe lebte ganz in der alten Tradition der Strenge und Tapferkeit. Kratovice wurde wiederum, was es in früheren Zeiten gewesen war: ein Vorposten des Deutschen Ritterordens und eine vorgeschobene Burg seiner Schwertbrüder. Wenn ich trotz allem an Kratovice unter dem Vorzeichen eines gewissen Glücks zurückdenke, so darum, weil mir jene Zeit genauso unvergeßlich geblieben ist wie meine Kindheit. Europa verriet uns; Lloyd Georges Regierung begünstigte die Sowjets; von Wirtz überließ das russisch-baltische Chaos endgültig sich selber und ging nach Deutschland zurück; die Unterhandlungen von Dorpat hatten seit langem unserem Zentrum verbohrten und unnützen Widerstandes jede Berechtigung und beinahe jeden Sinn genommen; auf der anderen Seite des russischen Kontinents trat Wrangel an Denikins Stelle und unterzeichnete bald die jämmerliche Erklärung von Sebastopol und damit zugleich sein Todesurteil; und die beiden siegreichen Offensiven im Mai und August an der polnischen Front hatten noch nicht jene Hoffnungen erweckt, die sofort darauf durch den Waffenstillstand im September und die anschließende Niederwerfung der Krim wieder vernichtet wurden ... Aber diese, wie alle geschichtlichen Berichte nachträglich konstruierte Zusammenfassung, kann nichts an der Tatsache ändern, daß ich in jenen Wochen so sorglos dahinlebte, als sollte ich ewig leben oder schon am nächsten Tage sterben. Die Gefahr legt im Menschen die schlimmsten und auch die besten Seiten seines Wesens frei. Da die schlechten Seiten im allgemeinen überwiegen, so ist die Atmosphäre des Krieges alles in allem die widerwärtigste, die es gibt. Aber das macht mich nicht ungerecht gegenüber den seltenen großen Augenblicken, die sie auch bieten kann. Wenn die Atmosphäre in Kratovice alle Mikroben der Niedrigkeit tötete, dann lag das zweifellos daran, daß ich den Vorzug genoß, mit im wesentlichen lauteren Naturen zusammenzuleben. Menschen wie Konrad sind anfällig und fühlen sich nie wohler als im Schutze einer Rüstung. Sind sie der Welt, den Frauen, den Geschäften, den leichten Erfolgen ausgeliefert, so erinnert ihr heimlicher Verfall unwillkürlich an das abstoßende Verwelken der dunklen Schwertlilien, deren klebrige Agonie sich so peinlich von dem heroischen Vertrocknen der Rosen unterscheidet. Ich habe ungefähr alle niedrigen Empfindungen gekannt, jede einzelne mindestens einmal in meinem Leben; auch das Gefühl der Furcht ist mir nicht fremd geblieben. Konrad hingegen hat solche Empfindungen nie gekannt. Es gibt nun einmal solche Wesen – und oft sind es die allerverletzlichsten –, die sich in der Luft des Todes so wohl fühlen wie im embryonalen Zustand. Man redet häufig davon, daß Schwindsüchtige, die früh sterben müssen, in der Gnade dieser Sorglosigkeit leben, aber ich habe auch manchmal bei jungen Leuten, denen ein gewaltsamer Tod bevorstand, jene Leichtigkeit bemerkt, die zugleich ihre Tugend und ihr göttliches Vorrecht war.

Am dreißigsten April, einem warmen sonnigen Tage, verließen wir wehmütig unser Kratovice, das nicht länger zu halten war. Sein verwüsteter Park ist heute ein Sportgelände für junge kommunistische Arbeiter, und aus seinem Forst sind die letzten Auerochsen, die sich dort bis in die ersten Kriegsjahre noch gehalten hatten, seit langem verschwunden. Tante Praskovia, die sich geweigert hatte, das Schloß zu verlassen, blieb mit ihrer alten Dienerin dort. Später erfuhr ich, daß sie alle Schrecknisse überstanden hat. Jeder Rückweg war jetzt für uns gesperrt; ich hoffte aber, im Südwesten des Landes Fühlung mit den antibolschewistischen Streitkräften aufzunehmen, und konnte in der Tat fünf Wochen später zur polnischen Armee stoßen, die damals noch in vollem Vormarsch begriffen war. Ich rechnete bei diesem verzweifelten Durchbruch mit einem Aufstand der dortigen von Hungersnot bedrohten Bauern, und ich irrte mich nicht. Aber diese unglücklichen Menschen waren nicht in der Lage, uns zu verpflegen; und ehe wir in Vitna ankamen, hatten Typhus und Hunger die meisten von ihnen weggerafft. Ich habe vorhin gesagt, daß das Kratovice der ersten Kriegsjahre für mich nicht meine Jugend, sondern Konrad bedeutete. Diese Mischung von Elend und Größe, von Gewaltmärschen und von in überschwemmte Felder getauchten Weidenzweigen, von Gewehrfeuer und plötzlicher Stille, von dem Knurren des leeren Magens und dem Flimmern der Sterne in den bleichen Nächten, wie ich es in solcher Pracht nie wieder erlebt habe – vielleicht war all das auch Konrad und nicht der Krieg, nicht das Abenteuer um einer verlorenen Sache willen. Wenn ich an die letzten Lebenstage meines Freundes denke, fällt mir jedesmal ein wenig bekanntes Bild von Rembrandt ein, das ich durch Zufall an einem trüben und schneegrauen Morgen Jahre später in New York in der Galerie Frick entdeckt habe. Es machte auf mich den Eindruck eines numerierten und im Katalog verzeich-

neten Gespenstes. Dieser auf einem fahlen Pferd sich hoch-
reckende junge Mann, dieses zarte und zugleich wilde Gesicht, diese öde Landschaft mit dem Tier, das ein Unheil
zu wittern scheint ..., hier waren Tod und Teufel viel ge-
genwärtiger als auf der alten deutschen Radierung, denn
um sie ganz nahe zu fühlen, braucht man nicht einmal ihr
Symbol.

In der Mandschurei waren meine Leistungen mittelmä-
ßig, und in Spanien schmeichle ich mir, die denkbar unbe-
deutendste Rolle gespielt zu haben. Erst auf jenem Rückzug und angesichts einer Handvoll Männer, mit denen ich
als Mann ein Bündnis eingegangen war, habe ich gezeigt,
was ich als Vorgesetzter leisten konnte. Verglichen mit jenen Slawen, die sich bei voller Lebenskraft vom Unglück
verschlingen ließen, vertrat ich den *esprit de géometrie*, die
Generalstabskarte, die Disziplin. Bei dem Dorf Novogrod-
no wurden wir von einem Trupp Kosaken überfallen. Konrad, Chopin, etwa fünfzig Leute und ich hatten uns in dem
Kirchhof verschanzt; das Gros der Truppe befand sich im
Dorf, und zwischen uns lag ein breites Hügelgelände. Gegen Abend verschwanden die letzten feindlichen Reiter in
den Roggenfeldern, aber Konrad hatte einen Bauchschuß
erhalten und lag im Sterben.

Ich fürchtete, daß er angesichts der letzten Viertelstunde,
die länger als sein ganzes Leben dauern würde, den Mut
verlieren würde, den andere, die ihr Leben lang immer nur
gezittert haben, plötzlich bekommen. Als ich mich aber
endlich um ihn kümmern konnte, hatte er bereits die un-
sichtbare Grenze überschritten, jenseits welcher man sich
nicht mehr vorm Leben fürchtet. Chopin hatte in die Wunde eines der Verbandspäckchen gestopft, mit denen wir so
überaus sparsam umgingen, daß wir für weniger schwere
Wunden lieber getrocknetes Moos verwendeten. Es begann
Nacht zu werden. Konrad verlangte mit schwacher Stimme und mit kindlicher Hartnäckigkeit nach Licht, als ob
die Dunkelheit das Schlimmste am Sterben sei. Ich zündete
eine der eisernen Laternen an, wie man sie in jenem Land

über den Gräbern aufzuhängen pflegt. Diese bei der klaren Nacht weithin sichtbare Lampe konnte uns leicht Gewehrschüsse auf den Hals ziehen, was mir aber, wie man sich denken kann, gleichgültig war. Er litt so sehr, daß ich mehr als einmal daran dachte, ihn zu töten; es war Feigheit, daß ich es unterließ. In wenigen Stunden sah ich, wie er sein Alter änderte und fast auch sein Jahrhundert wechselte: er sah nacheinander aus wie ein verwundeter Offizier aus den Feldzügen Karl XII., wie die liegende Grabfigur eines mittelalterlichen Ritters, wie ein beliebiger Sterbender ohne irgendwelche Kennzeichen seines Standes oder seiner Epoche, wie ein junger Bauer oder wie ein Flußschiffer der nordischen Provinzen, aus denen seine Familie herstammte. Er starb kurz vor Sonnenaufgang, kaum noch zu erkennen, fast bewußtlos durch den Rum, den Chopin und ich ihm eingeflößt hatten: Wir wechselten uns ab, ihm ein volles Glas an die Lippen zu halten und die zudringlichen Mücken von seinem Gesicht zu verscheuchen.

Es wurde Tag; wir mußten aufbrechen. Trotzdem beharrte ich eigensinnig auf dem Wunsch, ihm eine Art Begräbnis zu verschaffen. Ich brachte es nicht über mich, ihn wie einen Hund in einer verwüsteten Ecke des Kirchhofs zu verscharren. Ich ließ Chopin bei ihm zurück und ging die Allee zwischen den Gräberreihen entlang, wobei ich im Dämmerlicht der Frühe über andere Verwundete stolperte. Ich klopfte an die Tür des Pfarrhauses am äußersten Ende des Gartens. Der Priester hatte die Nacht im Keller zugebracht, in der Befürchtung, daß die Schießerei jeden Augenblick wieder aufflammen werde. Er war ganz starr vor Entsetzen; und ich glaube, ich holte ihn mit Kolbenstößen aus seinem Versteck. Nachdem er sich ein wenig beruhigt hatte, war er bereit, mir zu folgen, mit dem Gebetbuch in der Hand. Kaum aber begann er sein Amt auszuüben und laut zu beten, half ihm die Gnade, und er absolvierte seine kurze Predigt so feierlich, als stünde er im Chor einer Kathedrale. Ich hatte das merkwürdige Gefühl, Konrad zu einem guten Ende verholfen zu haben. Vor dem Feinde gefallen und durch einen Priester mit den Sterbesakramenten versehen, hatte er ein Schicksal erfüllt, das seine Vorfahren gebilligt haben würden. Er entging den kommenden Zeiten. Mein persönlicher Kummer hat nichts zu schaffen mit diesem Urteil, das ich heute noch, nach zwanzig Jahren, unterschreibe; und auch die Zukunft wird an meiner Ansicht, daß dieser Tod ein Glück für ihn bedeutete, kaum etwas ändern.

Dann folgt in meinen Erinnerungen eine Lücke, wenn ich von den schlechthin militärischen Dingen absehe. Ich glaube, es gibt in jedem Leben Zeiten, in denen ein Mensch wirklich existiert, und andere, da er nur ein Gemisch von Verantwortung, Ermattung und von Eitelkeit (wenn er obendrein töricht ist) darstellt. Nachts, wenn ich nicht schlafen konnte, las ich auf einem Strohsack in einer Scheune in den zerfledderten Memoiren des Kardinals Retz, die ich aus der Bibliothek von Kratovice mitgenommen hatte; und wenn es den Toten eigen ist, sich weder Hoffnungen noch Illusionen zu machen, so war mein Bett nicht wesentlich verschieden von jenem anderen Bett, in welchem Konrad sich bereits aufzulösen begann. Aber ich weiß wohl, daß zwischen Toten und Lebenden stets ein geheimnisvoller Unterschied bestehen wird, dessen Natur wir nicht kennen; und ebenso weiß ich, daß auch die Klügsten unter uns vom Tode nicht mehr wissen als eine alte Jungfer von der Liebe. Wenn der Tod eine Art Beförderung bedeutet, so will ich diese seltsame Rangerhöhung Konrad gewiß nicht absprechen. Sophie hatte ich vollkommen vergessen. Wie eine Frau, von der man sich auf der Straße trennt, mit wachsender Entfernung ihre Individualität verliert und schließlich nur noch eine Passantin unter vielen ist, so versanken die Gefühle, die Sophie mir vermittelt hatte, nach einiger Zeit in der nichtssagenden Banalität der Liebe. Mir blieb nur eines jener verblichenen »Andenken«, über die man die Achseln zuckt, wenn man sie auf dem Boden seines Gedächtnisses findet, wie über eine Photographie, die unscharf oder während eines vergessenen Spaziergangs mit Gegenlicht aufgenommen worden ist. Später haben sich dann die Züge ihres Bildes wie in einem Säurebad deutlicher entwickelt.

Ich war erschöpft; bald darauf brachte ich, nach Deutschland zurückgekehrt, einen ganzen Monat mit Schlafen zu. Das Ende dieser Geschichte vollzieht sich für mich in einer Atmosphäre, die weder ein Traum noch ein Alpdruck ist, sondern ein einziger dumpf lastender Schlaf. Ich schlief im Stehen wie ein müdes Droschkenpferd. Ich denke nicht im geringsten daran, meine Verantwortung zu verkleinern: was ich Sophie Böses hatte antun können, war längst getan, und ich hätte beim besten Willen nichts Wesentliches hinzutun können. Es steht für mich fest, daß ich in dem ganzen letzten Akt nur die Rolle eines Schlafwandlers gespielt habe. Sie werden mir sagen, daß es auch in den romantischen Melodramen solche stummen und sensationellen Henkerrollen gegeben hat. Ich habe aber wirklich den Eindruck, daß Sophie von einem gewissen Augenblick an ihr Schicksal selber in die Hand nahm. Ich weiß auch, daß ich mich hierin nicht irre, denn ich bin manchmal gemein genug gewesen, darunter zu leiden. Da wir nichts anderes von ihr besitzen, können wir ihr auch ebensogut die Verantwortung für ihren Tod belassen.

Das Schicksal knüpfte seinen Knoten in dem kleinen Dorf Kovo wenige Tage nach dem Eintreffen der polnischen Truppen. Es lag an einer Stelle, wo zwei Wasserläufe mit unaussprechbarem Namen zusammenfließen. Der Fluß war nach dem Frühjahrshochwasser über die Ufer getreten und hatte das Land in eine Schlamminsel verwandelt, auf der wir wenigstens gegen Angriffe aus dem Norden einigermaßen geschützt waren. Fast sämtliche Truppen des Feindes waren nach Westen abberufen worden, um die polnische Offensive aufzuhalten. Im Vergleich zu dieser Gegend war die Umgebung von Kratovice ein blühendes Land. Wir besetzten mühelos das zu drei Vierteln durch den Hunger und die letzten Erschießungen entvölkerte Dorf sowie den kleinen Bahnhof, der seit Kriegsende nicht mehr benutzt wurde und auf dessen verrosteten Gleisen einige mit Holz beladene Waggons verfaulten. Die Überbleibsel eines an der polnischen Front hart mitgenommenen Bolschewikenregiments hatte sich in der Spinnerei einquartiert, die ein

Schweizer Industrieller vor dem Kriege in Kovo errichtet hatte. Obwohl sie fast ganz ohne Munition und Lebensmittel waren, konnten wir später doch dank dieser kläglichen Reserven so lange durchhalten, bis die polnische Division kam, die uns rettete. Die Spinnerei »Warner« lag mitten im Überschwemmungsgebiet. Ich sehe noch die Reihe jener sehr niedrigen Schuppen unter dem rauchigen Himmel vor mir, an denen bereits die grauen Wellen des Flusses leckten, dessen weiteres Steigen nach den letzten Regengüssen zu einer Katastrophe zu werden drohte. Mehrere von unseren Leuten kamen um in dem Schlamm, in dem man bis zu den Hüften versank, wie Entenjäger in einem Sumpfgelände. Der zähe Widerstand der Roten hörte erst auf, als das Wasser aufs neue stieg und einen Teil der Gebäude davontrug, die schon seit fünf Jahren unbewohnt und allen Unbilden der Witterung ausgesetzt waren. Unsere Leute griffen mit solch grimmiger Erbitterung an, als ob die Eroberung dieser wenigen Schuppen ihnen hülfe, eine alte Rechnung mit dem Feind zu begleichen.

Grigori Loew war einer der ersten Toten, auf die ich in dem Korridor der Fabrik stieß. Er hatte auch im Tode sein schüchternes Studentengesicht und den Ausdruck des beflissenen Gehilfen behalten, was übrigens jener Würde, die fast alle Toten haben, keinen Abbruch tat. Es war mir bestimmt, früher oder später meine beiden einzigen persönlichen Feinde in Positionen wiederzusehen, die unendlich gesicherter waren als meine eigene, was jeden Gedanken an Rache unmöglich machte. Ich bin Volkmar auf meiner Reise durch Südamerika wiederbegegnet. Er vertrat sein Land in Caracas, hatte eine glänzende Karriere vor sich und hatte, wie um jeglichen Racheversuch noch unmöglicher zu machen, alles vergessen. Grigori Loew war noch unnahbarer als früher. Ich ließ seine Taschen durchsuchen, ohne ein einziges Papier zu finden, das mich über Sophies Schicksal hätte unterrichten können. Statt dessen hatte er ein Exemplar des Rilkeschen *Stundenbuches* bei sich, das auch Konrad geliebt hatte. Grigori war in jenem Lande und in jener Zeit vielleicht der einzige Mensch, mit dem ich mich eine Viertelstunde lang angenehm hätte unterhalten können. Man mußte anerkennen, daß diese jüdische Besessenheit, sich über das Niveau des väterlichen Trödlerladens zu erheben, bei Grigori edle Früchte getragen hatte: selbstloses Sicheinsetzen für ein hohes Ziel, Verständnis für Poesie, Freundschaft für ein leidenschaftliches junges Mädchen und zum Schluß das etwas falsch angewandte Vorrecht eines schönen Todes.

Eine Handvoll Soldaten hielt sich noch auf dem Heuboden einer Scheune. Das langgestreckte, auf Pfählen ruhende Gebäude schwankte unter dem Andrang der Flut und stürzte schließlich ein, mit ein paar Leuten, die sich, an einen riesigen Balken geklammert, über Wasser hielten. Sie hatten die Wahl zwischen Ertrinken und Erschossenwerden und machten sich keine falschen Hoffnungen mehr. Auf beiden Seiten wurden längst keine Gefangenen mehr gemacht, und wie hätte man in dieser allgemeinen Verwüstung Gefangene mitschleppen sollen? Einer nach dem anderen stiegen sechs oder sieben erschöpfte Männer mit taumelnden Schritten die steile Leiter vom Heuboden zu dem Schuppen voll verschimmelter Flachsballen hinunter, der früher als Speicher gedient hatte. Der erste, ein junger blonder Riese, der an der Hüfte verwundet worden war, strauchelte, verfehlte eine Sprosse und fiel auf den Boden, wo irgend jemand ihn erledigte. Plötzlich erkannte ich auf den obersten Stufen einen Haarschopf – ebenso wirr und leuchtend wie jener andere Haarschopf, den ich vor drei Wochen unter der Erde hatte verschwinden sehen. Michel, der alte Gärtner, der mir als eine Art Ordonnanz gefolgt war, hob seinen durch all das Geschehene ermüdeten und abgestumpften Kopf und rief erschrocken: »Das gnädige Fräulein ...«

Es war in der Tat Sophie, die mir von weitem gleichgültig zunickte, wie eine Frau, die jemanden wiedererkennt, aber keine Unterhaltung mit ihm wünscht. Gekleidet und gestiefelt wie alle anderen, sah sie aus wie ein blutjunger Soldat. Mit langen federnden Schritten ging sie durch die zögernde kleine Gruppe hindurch, die unten im staubigen Dämmerlicht wartete, trat zu dem jungen blonden, am Fuß der Leiter ausgestreckten Riesen, warf den gleichen harten zärtlichen Blick auf ihn, mit dem sie an jenem Novemberabend das Hündchen Texas bedacht hatte, und kniete nieder, um dem Toten die Augen zu schließen. Als sie sich wieder erhob, hatte ihr Gesicht wieder jenen leeren, gleichmütig ruhigen Ausdruck angenommen, der dem von frisch gepflügten Äckern unterm Herbsthimmel gleicht. Die Gefangenen erhielten Befehl, beim Transport der Munitions- und Lebensmittelvorräte nach Kovo mitzuhelfen. Sophie ging als letzte, mit leeren Händen. Sie sah frech aus, wie ein Soldat, der sich vor einer Dienstarbeit hat drücken können, und pfiff den *Tipperary-Marsch*.

Chopin und ich, die dem Zug in einiger Entfernung folgten, sahen sicher so entgeistert aus wie Verwandte bei einem Begräbnis. Wir schwiegen beide. Jeder wünschte in diesem Augenblick das junge Mädchen zu retten und argwöhnte, daß der andere sich dieser Absicht widersetzen würde. Bei Chopin allerdings ging diese Anwandlung von Nachsicht rasch vorüber; denn wenige Stunden später war er genauso zu äußerster Strenge entschlossen, wie es auch Konrad an seiner Stelle gewesen wäre. Um Zeit zu gewinnen, traf ich Anstalten, die Gefangenen zu verhören. Man sperrte sie in einen Viehwagen, der auf dem Gleis vergessen worden war, und brachte sie mir dann einzeln ins Büro des Bahnhofsvorstehers. Der erste, ein kleinrussischer Bauer, war so erschöpft von den Strapazen, so resigniert und so abgestumpft, daß er von den Fragen, die ich der Form halber an ihn stellte, nicht ein Wort begriff. Er war dreißig Jahre älter als ich; und nie wieder habe ich mich so jung gefühlt wie damals in Gegenwart dieses Bauern, der mein Vater hätte sein können. Ich schickte ihn wortlos wieder weg. Darauf erschien Sophie zwischen zwei Soldaten; es hätten ebensogut zwei Lakaien sein können, die sie auf einer eleganten Soirée in den Salon geleiteten. Einen Augenblick lang las ich auf ihrem Gesicht jene scheinbare Angst, die nichts anderes ist als die Furcht, man könne es an Mut fehlen lassen. Sie trat an den weißen Holztisch, an dem ich saß, und sagte sehr rasch:

»Erwarten Sie keine Auskünfte von mir, Erich, ich werde nichts sagen und weiß auch nichts.«

»Ich habe Sie nicht wegen irgendwelcher Auskünfte kommen lassen«, sagte ich, indem ich ihr einen Stuhl anwies. Sie zögerte erst, setzte sich aber dann.

»Weshalb sonst?«

»Um ein paar Dinge klarzustellen. Sie wissen, daß Grigori Loew tot ist?«

Sie neigte feierlich den Kopf, ohne Kummer. In Kratovice hatte sie genau das gleiche getan, als man ihr mitteilte, daß zwei von unseren Kameraden gefallen seien, die ihr gleichgültig waren und die sie doch gern hatte.

»Ich habe im letzten Monat seine Mutter in Lilienkron gesehen. Sie behauptet, Sie hätten Grigori geheiratet.«

»Moi? Quelle idée!« sagte sie auf französisch, und diese drei Worte genügten, um mir das ehemalige Kratovice zurückzurufen.

»Ihr habt aber doch zusammen geschlafen?«

»Quelle idée!« wiederholte sie. »Sie haben sich ja auch eingeredet, ich wäre mit Volkmar verlobt. Sie wissen genau, daß ich Ihnen immer alles gesagt habe«, meinte sie mit der ruhigen Einfachheit eines Kindes und fügte in einem leicht schulmeisterlichen Ton hinzu:

»Grigori war ein Ehrenmann.«

»Ich fange an, es zu glauben«, sagte ich. »Aber jener Tote, dem Sie die Augen zugedrückt haben?«

»Ja, Erich«, sagte sie. »Wir sind doch bessere Freunde geblieben, als ich gedacht hätte ..., da Sie es schon erraten haben.«

Sie faltete nachdenklich die Hände; ihr Blick nahm wieder jenen starren und leeren Ausdruck an, der den Kurzsichtigen eigen ist, aber auch denen, die ihren Gedanken oder einer Erinnerung nachgehen.

»Er war sehr gut zu mir, ich weiß nicht, was ich ohne ihn angefangen hätte«, sagte sie im Ton einer auswendig gelernten Lektion.

»War es schwer für Sie da drüben?«

»Nein, es ist mir gut gegangen.«

Ich erinnerte mich, daß es auch mir in jenem unseligen Frühling gut gegangen war. Sie strahlte jene heitere Gelassenheit aus, die man einem Menschen, der das Glück in seiner einfachsten und zuverlässigsten Form gekannt hat, nie ganz wieder wegnehmen kann. Hatte sie das Glück in der Nähe jenes Mannes gefunden, oder gab die Nähe des Todes und die Gewöhnung an die Gefahr ihr diese Ruhe? Wie dem auch sei: mich liebte sie in jenem Augenblick nicht mehr und kümmerte sich auch nicht mehr um den Eindruck, den sie auf mich machte.

»Und jetzt?«, sagte ich und zeigte auf eine offene Zigarettendose, die auf dem Tisch stand. Sie lehnte mit einer kurzen Handbewegung ab.

»Jetzt?« sagte sie mir mit einem Ton der Überraschung.

»Haben Sie Verwandte in Polen?«

»Oh«, sagte sie, »Sie wollen mich nach Polen zurückbringen. Ist das auch Konrads Vorstellung?«

»Konrad ist tot«, sagte ich so einfach wie möglich.

»Das tut mir leid, Erich«, meinte sie leise, als ginge dieser Verlust nur mich an.

»Möchten Sie wirklich so gerne sterben?«

Aufrichtige Antworten sind niemals glatt und niemals rasch. Sie überlegte und zog die Brauen zusammen, wodurch ihre Stirn jene Falten bekam, die sich sonst erst in zwanzig Jahren gezeigt haben würden. Ich sah, wie sie insgeheim jenen dunklen Erwägungen nachging, die Lazarus sicher zu spät und erst nach seiner Auferweckung anstellte. Ich merkte, wie in ihr die Furcht mit der Müdigkeit, die Verzweiflung mit der Tapferkeit und das Gefühl, genug gelebt zu haben, mit dem Verlangen kämpfte, noch ein paar Mahlzeiten zu essen, ein paar Nächte zu schlafen, um morgens die Sonne aufgehen zu sehen. Meist kommen dann wohl noch zwei, drei Dutzend glückliche oder unglückliche Erinnerungen hinzu, die uns, je nach unserem Temperament, entweder zögern lassen oder uns dem Tod in die Arme treiben.

Schließlich sagte sie, und sicherlich hätte sie keine treffendere Antwort geben können.

»Was werden Sie mit den anderen machen?«

Ich antwortete nicht, und mein Schweigen sagte ihr alles. Sie erhob sich mit dem Ausdruck eines Menschen, der eine Sache nicht zu Ende gebracht hat, an der ihm sowieso nichts gelegen hat.

»Sie wissen«, sagte ich und erhob mich ebenfalls, »daß ich, was Sie betrifft, mein möglichstes tun werde. Mehr kann ich nicht versprechen.«

»Soviel erwarte ich gar nicht von Ihnen«, sagte sie.

Sie drehte sich zum Fenster, schrieb irgend etwas mit dem Finger auf die beschlagene Scheibe und löschte es gleich wieder aus.

»Sie möchten mir wohl nichts schuldig sein?«

»Es ist nicht einmal das«, sagte sie in einem Ton, der ihr Desinteresse an der Unterhaltung zeigte.

Ich war ein paar Schritte auf sie zugetreten, denn trotz allem faszinierte mich dieses Geschöpf, das für mich den doppelten Zauber hatte, eine Sterbende und zugleich ein Soldat zu sein. Hätte ich meinem Hang nachgeben dürfen, so hätte ich, glaube ich, sinnlose Zärtlichkeiten gestammelt, die sie sicherlich mit Verachtung zurückgewiesen hätte. Wo aber hätte ich Worte finden sollen, die nicht seit langem so gründlich verfälscht waren, daß sie sich als unbrauchbar erwiesen? Ich gebe übrigens zu, daß dies alles nur deshalb wahr ist, weil es in uns etwas zutiefst Verdorbenes gab, eine düstere Erfahrung, die uns verbot, Worten und nicht nur Worten zu vertrauen. Eine wirkliche Liebe konnte uns noch retten: sie vor der Gegenwart, mich vor der Zukunft. Aber Sophie hatte diese wirkliche Liebe nur durch einen jungen russischen Bauern kennengelernt, der gerade in einer Scheune erschossen worden war.

Mit einer linkischen Bewegung legte ich meine Hände auf ihre Brust, als wollte ich mich überzeugen, daß ihr Herz noch schlug, und wiederholte noch einmal:

»Ich werde mein möglichstes tun.«

»Lassen Sie das doch sein, Erich, es paßt nicht zu Ihnen«, sagte sie und wich zurück – ob vor meiner zärtlichen Bewegung oder vor meinem Versprechen, kann ich nicht sagen.

Sie trat an den Tisch und klingelte mit einer Glocke, die dort vergessen worden war. Ein Soldat erschien. Als Sophie hinausgegangen war, bemerkte ich, daß sie meine Zigarettendose mitgenommen hatte.

Niemand schlief an jenem Abend – Chopin weniger als alle anderen. Wir hätten eigentlich das dürftige Sofa des Bahnhofsvorstehers teilen sollen, aber Chopin ging die ganze Nacht im Zimmer auf und ab, und ich sah seinen Schatten, den Schatten eines dicklichen, durch soviel Unglück zerbrochenen Mannes an der Wand neben ihm hergehen. Zwei- oder dreimal blieb er vor mir stehen, legte seine Hand auf meinen Arm und schüttelte den Kopf; dann setzte er schwerfällig seine trostlose Wanderung fort. Er wußte genausogut wie ich, daß wir uns entehren würden, wenn wir unseren Kameraden vorgeschlagen hätten, allein diese Frau zu verschonen, eine Frau, von der jeder wußte, daß sie zum Feind übergelaufen war. Chopin seufzte. Ich drehte mich zur Wand, um ihn nicht länger zu sehen.

Es wäre mir schwergefallen, ihn nicht anzuschreien, und doch tat niemand mir so leid wie er. An Sophie konnte ich nicht denken, ohne im Magen den Brechreiz eines Hasses zu fühlen, der beinahe ihren Tod wünschte. Dann kam die Gegenwirkung, und ich rannte mit meinem Kopf gegen das Unvermeidliche wie ein Gefangener gegen die Wände seiner Zelle. Es war nicht Sophies Tod, vor dem mir grauste, sondern ihr unbeugsamer Wille: zu sterben. Ich fühlte, daß ein besserer Mensch als ich irgendeinen bewundernswerten Ausweg gefunden hätte; aber ich bin mir von jeher klar gewesen über meinen Mangel an Erfindungsgeist, der vom Herzen ausgeht.

Das Verschwinden von Konrads Schwester, sagte ich mir, wird wenigstens einen Strich unter meine vergangene Jugend ziehen und das letzte Band zwischen mir und diesem Lande zerschneiden. Auch an die anderen Toten, deren Sterben ich mitangesehen hatte, mußte ich denken – als hätten sie Sophies Hinrichtung entschuldigen können. Damals, als ich an den billigen Preis der Menschenware dachte, sagte ich mir, daß ich gar zu viel Umstände mache um den Kadaver einer Frau, der mich wohl kaum gerührt hätte, wenn ich im Korridor der Spinnerei »Warnen« auf ihn gestoßen wäre.

Am nächsten Morgen begab Chopin sich schon vor mir auf das Gelände zwischen dem Bahnhof und der Gemeindescheune. Die auf einem Rangiergleis wartenden Gefangenen sahen noch etwas mehr aus wie Tote als am Abend zuvor. Diejenigen von unseren Männern, die einander abgelöst hatten, um sie zu bewachen und von dem zusätzlichen Frondienst erschöpft waren, schienen auch am Ende ihrer Kräfte. Ich war es, der vorgeschlagen hatte, bis zum Morgen zu warten. Diese Maßnahme, die ich nur Sophies wegen traf, hatte zur Folge, daß alle eine weitere böse Nacht verbrachten.

Sophie saß auf einem Holzstapel, die Hände zwischen den gespreizten Knien und die Hacken ihrer schweren Schuhe tief in der nassen Erde. Sie rauchte unentwegt meine Zigaretten. Es war das einzige Zeichen von Angst, das ich bemerkte. Die kalte Morgenluft gab ihren Wangen eine gesunde rosige Farbe. Ihre zerstreuten Blicke schienen mich nicht zu sehen, sonst wären mir sicher die Tränen gekommen. Sie war ihrem Bruder doch allzu ähnlich, als daß ich nicht das Gefühl gehabt hätte, ihn zweimal sterben zu sehen.

Für gewöhnlich übernahm Michel in solchen Fällen die Rolle des Henkers. Er hatte in Kratovice jedesmal, wenn es zufällig einmal ein Stück Vieh zu schlachten gab, uns diese Tätigkeit abgenommen und setzte sie nun gewissermaßen fort. Chopin hatte bestimmt, daß Sophie als letzte erschossen werden sollte. Ich weiß bis heute nicht, ob er es aus übertriebener Strenge tat, oder ob er einem von uns Gelegenheit geben wollte, sie zu retten. Michel begann mit dem Kleinrussen, den ich als ersten verhört hatte. Sophie warf einen raschen Seitenblick auf das, was zu ihrer Linken geschah; dann wandte sie sich ab wie eine Frau, die eine obszöne Szene, die sich neben ihr abspielt, zu übersehen versucht. Vier- oder fünfmal hörte man dieses Krachen eines Schusses, das Knallen der Büchse. Wie gräßlich ein solcher

Lärm war, schien ich bis dahin nicht ermessen zu haben. Plötzlich machte Sophie Michel heimlich ein gebieterisches Zeichen, so wie eine Gastgeberin in Gegenwart ihrer Gäste einem Dienstboten eine letzte Anweisung gibt. Michel trat vor, beugte den Rücken mit der gleichen bestürzten Unterwürfigkeit, mit der er sie niederknallen würde, und Sophie murmelte einige Worte, die ich nur an der Bewegung ihrer Lippen erraten konnte.

»Gut, Fräulein!«

Der alte Gärtner näherte sich mir und sagte mir in dem schroff-bittenden Ton eines alten verängstigten Dieners, der keinesfalls verkennt, daß man als Überbringer einer solchen Botschaft mit der Kündigung rechnen muß.

»Sie befiehlt ... Das Fräulein bittet ... Sie möchte, daß Sie es sind ...«

Er hielt mir einen Revolver hin, ich nahm den meinen und ging automatisch einen Schritt vor. Während dieses so kurzen Weges blieb mir gerade soviel Zeit, daß ich mir zehnmal wiederholte, sie wolle vielleicht ein letztes Wort an mich richten, und diese Anweisung sei nur ein Vorwand, damit sie es mir leise sagen könnte. Aber ihre Lippen blieben stumm; mit einer zerstreuten Geste hatte sie begonnen, oben ihre Jacke aufzuknöpfen, als ob ich ihr den Revolver direkt aufs Herz drücken wollte. Ich muß gestehen, daß, was so selten geschah, meine Gedanken sich diesem lebendigen und warmen Körper zuwandten, der mir seit der Intimität unseres gemeinsamen Lebens genauso vertraut war wie der eines Freundes; und ich fühlte mich von einer Art absurden Schmerzes um die Kinder erfüllt, die diese Frau in die Welt hätte setzen können und die ihren Mut und ihre Augen geerbt hätten. Aber es ist nicht unsere Aufgabe, die Stufen oder auch Abgründe der Zukunft zu bevölkern. Ein weiterer Schritt brachte mich Sophie so nahe, daß ich ihren Nacken hätte küssen oder ihr die Hand auf die von unmerklichen kleinen Stößen zitternde Schulter hätte legen können, aber schon sah ich von ihr nur noch die Konturen eines bereits preisgegebenen Profils. Sie atmete ein wenig zu schnell, und ich klammerte mich an den Gedanken, daß ich

Konrad den erlösenden Schuß hatte geben wollen und daß dies nun dasselbe sei. Ich wandte den Kopf ab und zielte, etwa wie ein verschrecktes Kind, das in der Silvesternacht einen Knallfrosch explodieren läßt. Nach dem ersten Schuß war nur ein Teil des Gesichtes verschwunden; dies beraubte mich für immer der Möglichkeit, zu erfahren, welchen Ausdruck Sophie im Antlitz des Todes angenommen hatte. Beim zweiten Schuß war alles getan. Zunächst dachte ich, sie habe geglaubt, mir ein letztes Zeichen ihrer Liebe zu schenken, und zwar das entschiedenste von allen, als sie mich bat, das Amt des Erschießens zu übernehmen. Doch dann begriff ich, daß sie sich nur hatte rächen und mich den Qualen von Gewissensbissen aussetzen wollen. Sie hatte richtig gerechnet: manchmal verfolgen sie mich wirklich. Mit solchen Frauen endet man immer in einer Falle.

Nachwort

Der Fangschuß, dieser unmittelbar nach dem Ersten Weltkrieg und der Oktoberrevolution spielende Kurzroman, wurde 1938 in Sorrent geschrieben und einige Wochen vor dem Ausbruch des Zweiten Weltkriegs veröffentlicht, also ungefähr zwanzig Jahre nach dem Vorfall, den er wiedergibt. Sein Thema steht uns zugleich sehr fern und sehr nah; sehr fern, weil sich unzählige Bürgerkriegsepisoden über die hier erwähnten geschichtet haben; sehr nah, weil die darin geschilderte moralische Verwirrung die gleiche geblieben ist, in der wir noch immer und mehr denn je – gefangen sind. Das Buch geht von einer tatsächlichen Begebenheit aus, und die drei Gestalten, die hier Erich, Sophie und Konrad heißen, sind im wesentlichen die gleichen, wie sie mir ein sehr guter Freund der Hauptperson beschrieben hat.

Das Geschehnis hat mich bewegt, und ich hoffe, daß es auch den Leser bewegen wird. Außerdem schien es mir, allein vom literarischen Standpunkt aus, alle Elemente des tragischen Stils zu enthalten und dadurch ausgezeichnet in den Rahmen der traditionellen französischen Erzählung zu passen, die, glaube ich, gewisse Charakterzüge der Tragödie bewahrt hat: Die Einheit von Zeit, Ort und – wie es Corneille einmal treffend ausgedrückt hat – Gefahr; die auf zwei oder drei Gestalten begrenzte Handlung, von denen eine zumindest so klarsichtig ist, daß sie versucht, sich selbst zu erkennen und zu richten; schließlich die unvermeidliche tragische Auflösung, zu der die Leidenschaft immer neigt, die jedoch im Alltagsleben gemeinere oder weniger sichtbare Formen annimmt. Die Kulisse selbst, dieser finstere Winkel in dem durch Revolution und Krieg abgeschnittenen Baltikum, schien aus analogen Gründen wie je-

ne, die Racine in seinem Vorwort zu *Bajazet** überzeugend
darlegt, den Regeln des tragischen Spiels zu entsprechen, indem sie Sophies und Erichs Abenteuer von den üblichen Zu-
fälligkeiten loslöst und die Aktualität von gestern in den
Raum zurückweichen läßt, was fast einem Rückzug in die
Zeit gleichkommt.

Beim Schreiben dieses Buches hatte ich nicht die Absicht,
ein Milieu oder eine Epoche neu erstehen zu lassen, jedenfalls nicht in erster Linie. Aber die psychologische Wahrheit,
die wir suchen, geht zu weit über das Individuelle und Be-
sondere hinaus, als daß wir wie unsere klassischen Vorbilder
mit gutem Gewissen die äußeren Realitäten einfach übersehen oder verschweigen dürften, die ein Erlebnis bedingen.
Der Ort, den ich Kratovice genannt habe, konnte nicht nur
einen Vorhof der Tragödie, noch die blutigen Episoden aus
dem Bürgerkrieg nur den rotgetönten Hintergrund für eine
Liebesgeschichte bilden. Sie hatten bei diesen Gestalten eine Art Dauerzustand der Verzweiflung geschaffen, ohne den
ihre Taten und Gesten unverständlich blieben. Dieser Mann
und diese Frau, die ich nur aus einer kurzen Zusammenfassung ihrer Geschichte kannte, wurden erst glaubhaft in der
ihnen angemessenen Beleuchtung und, soweit dies möglich
ist, in der historischen Situation. Daraus folgt, daß dieser
Stoff, den ich wählte, weil er mir einen fast reinen Konflikt
zwischen Leidenschaften und Willensanstrengungen bot,
schließlich dazu zwang, Generalstabskarten zu lesen, Einzelheiten anderer Augenzeugenberichte zu sammeln, alte Il-
lustrierten durchzublättern, um von den undurchsichtigen
militärischen Operationen an der Grenze eines verlorenen
Landes wenigstens ein schwaches Echo und einen schwa-
chen Abglanz zu finden, insofern sie damals bis nach West-
europa gedrungen waren. Später versicherten mir Män-

---

* Die Tragödie *Bajazet* (1674), einzige Ausnahme im Werk Racines, behandelt ein
zeitgenössisches Thema, eine Palastrevolution, die sich 30 Jahre vorher in Kon-
stantinopel ereignet hatte und von der Racine durch den französischen Botschafter
bei der Hohen Pforte erfuhr. Racine weist ausdrücklich auf die Tatsache hin, daß
dieses so naheliegende Geschehnis, das sich in einem weit entfernten Lande ereignet hat und in einem Milieu, das den Franzosen seiner Zeit fast unerreichbar war,
schon den poetischen Charakter einer antiken Tragödie erlangt hatte.

ner, die an eben diesen Kriegen im Baltikum teilgenommen hatten, bei zwei oder drei Gelegenheiten spontan, daß *Der Fangschuß* sich mit ihren Erinnerungen decke.

Diese Geschichte ist in der Ich-Form geschrieben und der Hauptperson in den Mund gelegt – ein Verfahren, dessen ich mich oft bedient habe, weil es den Standpunkt des Autors oder zumindest seine Kommentare aus dem Buch entfernt und weil so gezeigt werden kann, wie ein Mensch seinem Leben gegenübersteht und sich mehr oder weniger aufrichtig darum bemüht, es zu ergründen, ja sich erst einmal überhaupt daran zu erinnern. Doch wir wollen dabei nicht vergessen, daß, wie immer man es auch anstellen mag, ein langes Bekenntnis, das die Hauptperson eines Romans gefügigen und stummen Zuhörern macht, eine literarische Konvention ist: in *Die Kreutzersonate* oder *Der Immoralist* schildert sich ein Held mit peinlicher Genauigkeit und diskursiver Logik; das ist im wirklichen Leben nicht der Fall; echte Bekenntnisse sind im allgemeinen bruchstückhafter oder wiederholungsreicher, verworrener oder verschwommener. Diese Vorbehalte gelten natürlich auch für die Geschichte, die der Held aus dem *Fangschuß* kaum zuhörenden Kameraden in einem Wartesaal erzählt. Hat man jedoch die anfängliche Konvention hingenommen, so hängt es von dem Verfasser einer solchen Erzählung ab, wie und ob er darin einen ganzen Menschen heraufbeschwört – mit seinen Vorzügen und Schwächen, die durch seine Sprache und deren Eigentümlichkeiten deutlich werden, mit seinen richtigen und falschen Urteilen, seinen Vorurteilen, von denen er nicht weiß, daß er sie hat, mit seinen Lügen, die er eingesteht, oder seinen Eingeständnissen, die Lügen sind, mit seinen Auslassungen und sogar mit dem, was ihm entfallen ist.

Eine solche literarische Form hat freilich den Nachteil, stärker als jede andere den Leser zur Mitarbeit aufzufordern; sie zwingt ihn, die mit den Augen des Ichs gesehenen Ereignisse gleichsam wie Gegenstände unter Wasser wieder ins rechte Licht zu rücken. In den meisten Fällen begünstigt die Verschiebung der Tatsachen in einem Ich-Roman den

Erzähler; in *Der Fangschuß* gereicht dagegen diese Verzerrung, die unvermeidlich ist, wenn man von sich selbst redet, dem Erzähler zum Schaden. Ein Mann vom Typ Erich von Lhomonds lebt in Widerstreit mit sich selbst, sein Grauen vor dem Selbstbetrug treibt ihn dazu, seine Handlungen im Zweifelsfall möglichst schlimm zu deuten; seine Angst, sich eine Blöße zu geben, zwängt ihn in einen Harnisch der Härte, den ein wirklich harter Mann nie anlegt; sein Stolz dämpft seinen Dünkel. Dadurch läuft der naive Leser Gefahr, aus Erich von Lhomond einen Sadisten zu machen und nicht einen Mann, der ohne mit der Wimper zu zucken, entschlossen ist, seinen grausamen Erinnerungen die Stirn zu bieten, einen tressengeschmückten Rohling, doch dabei vergißt der Leser, daß gerade ein Rohling als letzter von der Erinnerung heimgesucht würde, anderen Leid zugefügt zu haben, oder er hält ihn sogar für einen berufsmäßigen Antisemiten, während die Verspottung der Juden nur zu dem Kastengeist dieses Mannes gehört, der aber seine Bewunderung für den Mut der israelitischen Pfandverleiherin durchblicken läßt und Grigori Loew in den Heldenkreis seiner toten Freunde und Feinde aufnimmt.

Natürlich tritt bei den komplizierten Liebe-und-Haß-Beziehungen die Diskrepanz zwischen dem Bild, das der Erzähler von sich entwirft, und dem, was er ist oder gewesen ist, am deutlichsten zutage. Erich scheint Konrad von Reval in den Hintergrund zu verbannen, denn er skizziert diesen heißgeliebten Freund nur flüchtig; erstens, weil er nicht der Mann ist, der sich bei dem aufhält, was ihn am meisten bewegt, zweitens, weil er gleichgültigen Zuhörern nicht viel von diesem Kameraden erzählen kann, der verschwand, bevor er sich behauptet oder geformt hatte. Ein waches Ohr hört vielleicht bei einigen Anspielungen auf seinen Freund die gekünstelte Unbefangenheit oder unmerkliche Gereiztheit heraus, die man allem gegenüber zeigt, das man zu sehr geliebt hat. Wenn er dagegen Sophie in den Vordergrund schiebt und sie bis in ihre Schwächen und armseligen Ausschweifungen hinein vorteilhaft darstellt, so nicht nur, weil ihm die Liebe des jungen Mädchens schmeichelt, ja ihn sogar von sich selbst überzeugt, sondern auch, weil sein Ehrenkodex ihn dazu verpflichtet, diese Gegnerin – denn das ist eine Frau, die man nicht liebt – respektvoll zu behandeln. Andere Verzerrungen sind weniger beabsichtigt. Dieser an sich klarblickende Mann systematisiert, ohne es zu wollen, den Überschwang und die Hemmungen der ersten Jugend; vielleicht war er verliebter in Sophie, als er behauptet; bestimmt war er ihretwegen eifersüchtiger, als seine Eitelkeit ihm zuzugeben erlaubt; andererseits sind sein Widerwillen und seine Auflehnung gegen die aufdringliche Leidenschaft des jungen Mädchens weniger ausgefallen, als er annimmt: fast banale Schockwirkungen der ersten Begegnung eines Mannes mit der furchtbaren Liebe.

Neben der Geschichte von dem Mädchen, das sich anbietet, und dem Jüngling, der sich verweigert, ist das Hauptthema in *Der Fangschuß* die Wesensgleichheit, die Schicksalsverbundenheit von drei Menschen, die denselben Entbehrungen und Gefahren ausgesetzt sind. Erich und Sophie gleichen sich vor allem in ihrer Unversöhnlichkeit und ihrem leidenschaftlichen Drang, bis zum Äußersten zu gehen. Sophies Verirrungen entspringen eher dem Bedürfnis, sich mit Leib und Seele hinzugeben, als dem Verlangen, von jemandem genommen zu werden oder jemandem zu gefallen. Erichs Zuneigung zu Konrad ist mehr als ein körperliches oder sogar gefühlsmäßiges Verhalten; seine Wahl entspricht tatsächlich einem bestimmten Ideal männlicher Härte, einem Trugbild heldenhafter Kameradschaft; sie ist Teil einer Lebensanschauung. Wenn der junge Mann und die junge Frau sich am Ende des Buches wiedertreffen, versuche ich durch die wenigen Worte, die sie für wert finden, miteinander zu wechseln, diese Intimität oder diese Ähnlichkeit aufzuzeigen, die stärker ist als die Konflikte sinnlicher Leidenschaft oder politischer Überzeugung, stärker sogar als der Groll unbefriedigten Begehrens oder gekränkter Eitelkeit: jenes so enge geschwisterliche Band, das sie vereint, was sie auch tun, und das die Tiefe ihrer Wunden erklärt. An diesem Punkt spielt es keine Rolle mehr, wer von den beiden den Tod bringt oder empfängt. Nicht eimal, ob sie sich nun gehaßt oder geliebt haben.

Ich weiß, daß ich gegen den Zeitstrom schwimme, wenn ich hinzufüge, daß einer der Gründe, weshalb ich den *Fangschuß* schreiben wollte, der innere Adel dieser Romanfiguren ist. Über den Sinn dieses Wortes muß man sich verständigen: für mich schließt es jegliche eigennützige Berechnung aus. Ich verkenne nicht, daß in einem Buch, in dem drei Hauptpersonen einer bevorrechtigten Klasse angehören, ja deren letzte Vertreter sind, von Adel zu reden eine gefährliche Zweideutigkeit in sich birgt. Wir wissen nur zu gut, daß die beiden Begriffe des moralischen Adels und der gesellschaftlichen Aristokratie meistens nicht übereinstimmen. Andererseits würde man dem heute allgemein beliebten Vorurteil verfallen, wenn man einfach leugnete, daß das Ideal des Erbadels, so gewollt es auch sein mag, in manchen Naturen mitunter die Entwicklung einer Unabhängigkeit oder eines Stolzes, einer Treue oder einer Uneigennützigkeit fördert, das heißt Eigenschaften, die bestimmt edel sind. Diese Würde des Wesens, die die zeitgenössische Literatur aus Konvention häufig ihren Gestalten abspricht, hat übrigens so wenig mit der sozialen Herkunft zu tun, daß Erich sie trotz seiner Vorurteile Grigori Loew zubilligt, dem gewandten Volkmar hingegen nicht, obwohl dieser aus seinem Milieu und seinem Lager stammt.

Nachdem ich zu meinem Bedauern das betont habe, was eigentlich selbstverständlich sein sollte, muß ich, glaube ich, zum Schluß noch erwähnen, daß *Der Fangschuß* keineswegs bezweckt, irgendeine Gruppe oder Klasse, irgendeine Partei oder irgendein Land zu verherrlichen oder in Verruf zu bringen. Schon allein die Tatsache, daß ich Erich von Lhomond einen französischen Nachnamen und französische Vorfahren gegeben habe, vielleicht um ihn mit jener Klarheit und Schärfe des Geistes ausrüsten zu können, die nicht unbedingt deutsche Charakteristika sind, widerlegt jede Deutung, die entweder diese Gestalt zum Idealbild erhebt oder, im Gegenteil, zum Zerrbild eines bestimmten Adels oder deutschen Offizierstyps erniedrigt. *Der Fangschuß* wurde wegen seines Wertes nicht als politisches, sondern als menschliches Dokument (wenn es

dies gibt) geschrieben, und so sollte dieses Buch auch be-
urteilt werden.

Marguerite Yourcenar